끊임없이
사부작사부작

끊임없이
사부작사부작

리인수 지음

soyotou

올해로 21년째 시민단체 상근 활동을 하면서 주변 사람들에게 본의 아니게 많은 피해를 안겨주었다. 특히 아내와 아이들에게 정말 미안한 마음이 많다. 미군기지 반환 운동을 할 때는 하루 종일 그 일에 매달려 있다 싶어 해서 회사일이고 아이들 학교생활 등에는 거의 신경을 쓰지 못했다. 아이들 같은 경우는 아마도 내가 신경을 제대로 안 썼기 때문에 그런대로 잘 자랐다고 말하면 남들이 어떻게 생각할지 궁금하다.

이 글은 총 6장으로 구성되었다. 첫 번째는 우리 부산과 강서구를 정말 혁신하기 위해서는 무엇이 가장 선행되어야 할 것인지를 짚어 봤다. 나는 첫 번째로 김해공항 이전을 꼽았다. 공항이 이전하지 않으면 부산은 더 이상 발전할 수가 없다고 생각한다.

두 번째는 통일에 관한 나의 생각을 적어봤다. 소위 북한 핵 문제라는 것은 어떻게 보면 참 간단한, 해결하기 문제다. 쉬운 길을 놔두고 왜 자꾸만 복잡하고 어려운 길을 가려는지 나는 정말 이해가 안 된다. 북핵 문제 해결과 통일 방안에 대한 생각을 정리해 봤다.

세 번째는 국회 개혁에 관한 제안을 한번 해 보았다. 현역 국회의원들이 들으면 기분이 좀 좋지 않을 듯하다. 어떤 이는 괜히 긁어 부스럼을 만들지 말고 다른 이야기를 좀 해보라고 했다. 그러나 시민단체 활동가로서 평소에 생각하고 있는 것을 굳이 밝히지 않을 이유가 없을 것 같아 몇 자 적어 보았다.

다음으로는 내가 시민단체 활동을 하면서 그간의 성과를 서너 개 정도를 기록해 봤다. 시민단체 활동이라는 것이 어떻게 보면 성과가 있는 듯 없는 듯, 있다면 무엇을 성과라고 할지 참 애매한 구석이 많다. 그러나 나는 뚜렷한 성과를 낸 적이 있다고 생각하기에 좀 당당하게 밝혀보고 싶었다. 물론 그것은 나 개인의 능력만으로 이루어진 것은 당연히 아니다.

그리고 평소 내가 생각하고 있는 사회적 문제에 대한 짧은 생각을 담아 보았다. 그동안 많은 논평을 썼으나 지면 관계상 몇 개만 소개해 본다.

마지막으로 중국이 추진하고 있는 일대일로의 현황과 함의에 대한 고민을 담아보았다. 관련하여 미국이 실행하고 있는 러시아에 대한 경제 제재가 과연 정당한가에 대한 의문을 제기해 보고 싶었다.

이번 출판에 동의해 준 박윤희 대표에게 감사드린다. 박 대표는 책이 모양 좋게 나오는데 많은 신경을 써 주었다. 그리고 책이 언제 나오느냐고 가끔 물어주고 평소에도 좋은 충고와 조언을 아끼지 않는 배효민 대표와 멀리 러시아 사할린에서 항상 응원해 주시는 현덕수 회장님과, 개인적으로 내가 속해 있는 부산우리민족서로돕기운동 대표님들과 회원들에게도 이것저것 감사드릴 일이 너무 많다. 북구 공감, 노무현 재단 북·강서지회 회원들에게도 감사를 드리면서 모든 분들께 쑥스러운 마음으로 이 책을 내민다.

하늘이 유난히 높은 11월 어느 날,
햇살 가득한 낙동강변에서 **리인수** 드림

차 례

I

강서구
혁신을 위한
제언

1. 김해공항 옮기면 강서가 '강남' 된다

김해공항의 확장을 반대하고 이전을 강력히 촉구 한다. 현재 공항에서 이륙하는 비행기의 시간 간격은 대략 4분 정도로 현장에서 확인되었다. 착륙하는 비행기의 시간까지 더하면 하루 종일 공항 주변이 비행기 소음에 시달리고 있는 것이다. 이처럼 지금도 피해가 많은데 여기에 더 해 새로 활주로를 건설해서 사실상 24시간 공항을 운영하겠다는 것은 공항 인근 부산 강서구 대저 지역, 김해시 지역 주민들을 소음 고통 속으로 한층 더 밀어 넣는 행위이다.

'김해신공항'이란 명칭은 박근혜 정권이 만들어 낸 사기극이다. 인천공항도 활주로를 닦고 확장을 한다. 우리는 그것을 인천신공항이라고 부르지 않는다. 김해공항을 확장한다고 신공항이라고 부를 수 없을 뿐만 아니라, 결코 가능하지도 않고 가능해서도 안 된다.

공항 건설은 100년 앞을 내다보고 추진해야 한다. 1976년, 수영에 있던 비행장이 현재의 공항으로 이전하여 들어선 때는 강서구 인구가 얼마 안 되었고, 김해시 경우에는 20만명 정도 인구였다. 그러나 지금은 50만명이 넘는 대도시가 되었고, 강서구만 해도 10만명을 넘겼다. 공항이 사실상 도심의 한 가운데 차지하고 있는 것이다.

왜 세계 주요 공항이 바닷가나 혹은 바다 한 가운데 건설되었겠는가. 소음 때문이다. 인천공항 역시 소음에 때문에 영종도 섬으로 옮겨간 것이다.

김해공항은 완전히 이전해야 한다. 국내선과 군 공항 기능만 놔두고 이전하자는 의견도 일부 있는 데, 국내선이고 국제선이고 모두 이전해야 소음 문제가 완전히 해결된다. 그리고 앞으로 주민들의 고통을 외면한 채 이래저래 눈치만 보는 사람들은 더 이상 어떠한 정치를 할 자격도, 공직을 맡을 자격도 없음을 분명히 강조하고 싶다.

'김해신공항' 확장의 문제점[1]

우선 김해공항은 김해시가 아닌 부산시 강서구 대저동에 위치한다. 신어산, 돗대산 등의 산과 아파트 단지, 산업·유통시설에 둘러싸여 있다.

김해공항은 조종사들이 뽑은 '가장 위험한 공항'이다. 2002년 중국 민항기의 돗대산 충돌사고(129명 사망) 발생 이후로 김해공항은 조종사들에게 지금도 두려움의 대상이다. 다수의 설문 조사 결과도 이를 뒷받침하고 있다. 국내외 조종사들이 뽑은 한국에서 가장 위험한 공항이 김해 공항으로 확인된 것이다.

김해공항은 전 세계 0.1%, 특별히 주의해야 할 '특수공항'으로 지정되어 있다. 즉 '항공기 이착륙 등 운항에 특별한 주의가 필요한 공항'이라는 말이다. 전 세계 2만여 개 공항 중 24개가 특수 공항이라 규정되어 있는데, 새로 확장을 해도 여전히 특수 공항이며 위험한 공항에서 벗어나지 못하게 된다.

---

1. https://www.busan.go.kr/airport
2. 출처 http://www.busan.go.kr/airport0103 필자가 재정리

신설 활주로는 11자 형이 아닌 V자 모양으로 건설된다. 착륙하던 항공기가 돌풍 등 악천후로 재이륙할 경우 인근의 산과 아파트는 물론 기존 활주로의 이륙 항공기와도 충돌할 수 있다. 신설 활주로의 길이 또한 3.2km에 불과하다. 대형기를 고려하면 최소 3.7km는 되어야 한다. 종단안전구역(RESA)의 길이도 국제 권고규격(ICAO, 240m×140m)에 한참 못 미치는 90m×90m에 불과하다. 참고로 현재의 김해공항 종단안전구역은 240m×150m 이다.

소음피해가 엄청나게 가중된다. 현재 보다 무려 최고 일 곱배나 더 소음피해가 발생할 것으로 검증결과 밝혀졌다.

'김해신공항' 확장 불가 7문 7답[2]

질문 1) 왜 국가 정책을 번복하려 하는가?

잘못된 정책을 바로잡는 일. 공항과 같은 대규모 인프라, 안전시설의 경우 1%의 위험과 불안만 있어도 신중히 검토하는 것이 맞다. 항공 사고는 아무리 사소해도 대형 참사로 이어질 수 있으며, 미래를 충분히 대비할 수 있는가도 살펴봐야 한다. '김해신공항'확장 불가 주장은 국민의 생명과 국가의 미래를 위해 우국충정에 나온 것.

질문 2) 김해신공항 정책의 문제는?

'김해신공항'은 박근혜 前대통령이 '영남권 신공항' 공약을 지키기 위해 결정이다. 그러나 후보지 결정 당시 TK가 주장하는 밀양과 PK가 주장하는 가덕도의 전면전으로 프레임 되면서, 정치적 부담을 느낀 박근혜 정부가 어느 누구의 손도 들어주지 않는 선거공학적 판단을 내린 것. 과학적 · 경제적 · 미래지향적으로 다시 검토하는 것이 맞다.

질문 3) 왜 동남권 관문공항인가?

동남권 관문공항은 영남권 상생 · 발전은 물론 대한민국 미래를 위한 백년지대계이다. 단순히 공항 하나 더 짓는 문제가 아니다. 박근혜 · 문재인 대통령의 대선공약이 된 것도 이 때문이다. 지금의 김해공항은 포화상태이며, 인천공항도 10년 후쯤 한계에 이른다. 인천공항과 같은 관문공항이 수도권 이외에 하나 더 필요하다. 하나 이상의 복수 공항 시스템은 세계적 추세이다.

질문 4) 파리 공항공단 엔지니어링(ADPi) 결과의 문제는?

2016년 6월 파리공항공단의 입지결정 용역결과 발표 시, 책임기술자가 "신규 공항 후보지가 선정되었을 때 나타날 수 있는 법적 · 정치적인 후폭풍을 고려했다."라고 직접 이야기하기도 했다. 당장 관문공항 제1의 조건인 안전과 소음문제도 해결되지 않은 졸속 · 비과학적 · 정치적 결정이었다는 것이 전문가들의 중론이다.

질문 5) 양양공항과 같은 정치 공항, 퇴물 공항? 적자공항?

국내공항 15곳 중 김해공항을 비롯해, 인천 · 김포 · 제주 · 대구 등 5곳이 흑자를 내는 공항이다. 한국공항공사의 통계에 따르면 김해공항은 14년 연속 흑자이자, 인천공항, 김포공항에 이어 세 번째로 많은 흑자를 낸 공항으로 2017년 김해공항 당기순이익은 1,153억 원. 지방공항이 줄줄이 적자공항이라는 것은 사실이 아님.

질문 6) 관문공항을 새로 지으면 예산 낭비 아닌가?

김해공항에 활주로 1개를 신설하는데 약 6조 7천억 원이 들어간다. 충돌을 피하기 위한 산과 같은 장애물 제거에도 약 2조 원이 추가 투입된다. 주민반발도 비용으로 작용할 것이다. '김해신공항'은 최소 10조 원의 비용이 들어감. 이 예산으로 얼마든지 새로운 관문공항을 만들 수 있다.

질문 7) 〈부울경 검증단〉의 최종 결과는?

▲안전문제가 매우 심각하다. 충돌과 대형사고의 위험 큼. ▲소음피해 조사 결과 축소. 검증 결과 국토부 안보다 부산은 3배, 김해는 9배 더 피해가구가 커진다 ▲공항시설이 작고 확장성도 없다. 활주로, 유도로, 터미널 등이 예측 수요에 비해 턱없이 좁지만 내륙의 주택, 산업시설 인근이라 확장이 불가능 ▲현 계획은 공항시설법 34조, 군사기지법 10조 등 실정법 위반 ▲환경영향평가가 제대로 이뤄지지 않았다. 인근 평강천 매립에 의한 생태축 단절, 미세 먼지와 같은 대기질 악화 등 환경에 미치는 예측도 빠져있다. 결론, 김해신공항은 결코 동남권 관문공항이 될 수 없다.

공항 옮기면 강서가 '강남' 된다

언젠가 오거돈 부산시장도 그런 말을 한 것으로 기억된다. 앞으로 서부권이야말로 부산에서 가장 발전된 도시가 될 것이라고. 동부산은 이미 과잉 발전이 되어 더 이상 개발하고 발전할 곳이 없다. 부산에서 유일하게 마지막 남은 지역이 강서지역이다. 그런데 현재의 김해공항이 그대로 남아 있고서는 강서지역은 발전하고 싶어도 결코 발전할 수가 없다. 생각해 보라. 공항이 확장되어 거의 24시간 비행기가 뜨고 내리는 시끄러운 동네가 어떻게 발전이 되겠는가. 지금 공항 주변이 발전 안 된 것만 봐도 이대로라면 미래의 강서 발전은 영원히 물 건너간다. 극히 일부 주차장 업자들이 공항 이전을 반대하는 것은 자신의 기득권을 지키고 장사를 하기 위해서다. 이해는 된다. 그러나 중장기적으로 보면 더 큰 이익이 기다리고 있다는 것을 알아야 한다. 공항이 이전하고 나면 그 자리에 뭐가 들어서겠는가. 친환경 첨단 IT 기업이 들어오

〈그림 1〉 가덕도 신공항 활주로 조감도와 교통망 계획안 (부산시 제공)

고 각종 문화 시설이 들어서면서 강서지역은 새로운 일자리가 넘쳐나고 활기찬 신도시로 변모하게 될 것이다. 서울의 강남이 허허벌판에서 오늘날의 강남이 되었듯 부산 강서가 공항만 이전하게 되면 부산판 강남이 되는 것이다. 그 길을 놔두고 작은 이익에 눈이 멀어 대세를 거스르는 행위를 계속한다면 그것보다 더 어리석은 일이 있을까 싶다. 김해공항이 그대로 있으면 에코델타시티는 어떻게 될까.

〈그림 2〉 에코델타시티 위치도(上)와 조감도(下). 부산시 홈페이지

에코델타시티 위치도를 보라. 김해공항과 거리가 불과 5km에 불과하다. 면적 84만 평에 가구 수는 3만 세대로 인구는 약 76,000명이 거주할 것으로 예상하고 있다. 이곳은 상업, 물류, R&D 센터, 인공지능을 기반으로 하는 최첨단 스마트시티를 꿈꾸고 있다. 그런데 머리 위로 비행기가 하루 종일 날아다니면 이것들이 다 가능할까. 김해공항이 이대로 지속된다면, 조감도에서 보듯이 저 아름다운 도시는 하루 종일 소음 폭탄에 시달리는 기형적인 도시가 될 것이다. 정녕 우리 강서구가 그런 도시가 되는 것을 원하는 사람들은 아무도 없을 것이다.

우리도 강남에서 살아보자. 찬란한 밤거리의 향락과 풍요로운 물질을 상징하는 부가 넘치는 그런 강남이 아니라, 낙동강을 곁에 두고 생태환경과 예술문화가 조화롭게 어울려지고 삶의 품격이 넘쳐 나는 그런 친환경 부산판 강남을 꿈꿔 보자는 것이다. 그러기 위해서는 하루 종일 머리 위에 날아다니는 저 비행기 소음부터 없어져야 한다.

청와대 국민 청원에 나서다

아래는 필자가 〈김해신공항'반대동남권관문공항추진100만국민청원부울경범시민운동본부〉 대변인 자격으로 작성한 청와대 국민 청원 게시판의 호소문이다.

소음 고통! 충돌 위험!

정략적 꼼수로 결정된 임시방편 김해공항확장 계획 백지화하고

국가균형발전을 위한 제대로 된 동남권 관문공항을 건설하라!

존경하고 사랑하는 국민여러분!

2000년 고도 가야왕국 김해시의 중심부로 신공항 활주로가 향하고 있습니다.

김해시와 강서구 주민들은 3분에 한 대 꼴로 굉음을 내고 이착륙하는 항공기 소음 고통에 지난 40여 년간 시달려 왔습니다. 학교에서는 아이들이 비행기 소리 때문에 수업집중이 안 된다고 하소연하고 공휴일에는 마음 놓고 휴식도 취할 수 없습니다. '김해신공항'이 건설되면 지금보다 여섯 배나 많은 주민들이 소음에 무방비로 노출되며 김해시는 그야말로 초토화되는 것입니다.

인천공항이 왜 영종도로 갔습니까? 일본의 간사이 공항은 왜 바다 한가운데로 갔습니까? 전 세계 유수의 공항이 거의 다 해안가에 있는 이유는 지역민들의 소음고통을 줄여주기 위해서입니다.

김해신공항은 여전히 위험하고 서낙동강의 보고인 자연생태를 파괴합니다.

우리는 2002년 김해 돗대산에 중국 민항기가 충돌하여 160여명의 희생자를 낸 참사를 아직도 생생하게 기억하고 있습니다. 신설될 V자 활주로는 비행기 착륙 시 김해시가지의 산지 장애물과 충돌할 위험성이 높습니다. 안전을 위해서는 활주로 진입부분의 산봉우리 3개를 깎아야 하지만, 국토부가 제시하는 총사업비 7조 원에는 이러한 산을 깎는 공사비 2조원은 빠져있습니다. 안전성이 철저히 무시되고 있습니다.

그러면 환경적으로는 아무런 피해가 없을까요? 서낙동강의 지류 60m 넓이 평강천을 뚝 짤라서 그 위로 활주로를 건설하면 단절될 기나 긴 하류의 수질오염은 어떻게 합니까? 신설될 활주로 위는 겨울 철새의 주요 이동로입니다. 활주로로 뜨고 내리는 비행기와 철새가 충돌하지 않는다는 보장이 있습니까? 2009년 1월, 뉴욕 라과디아 공항을 이륙한 비행기가 새떼와 충돌하여 허드슨 강에 불시착한 영화 '설리 허드슨 강의 기적'한국판이라도 정녕 찍고 싶은 것입니까?

김해신공항은 국민의 혈세를 낭비하는 엉터리 계획이요 또 다른 적폐입니다.

'김해신공항'이란 말은 속임수입니다. 인천공항도 확장공사를 했지만 인천신공항이라고 하지 않습니다. 신공항도 아닌 것에 신공항이란 이름을 걸고 24시간 운항은 꿈도 꿀 수 없으며, 개항 10년이면 포화상태에 도달하고 더 이상 아무런 대책을 세울 수 없는 엉터리 계획에 세금을 7조원이나 투입하는 것은 참으로 어리석은 짓이요, 그 자체가 바로 적폐입니다!

정략적인 꼼수로 결정된 '김해신공항'계획은 전면 백지화되어야 합니다. 우리는 신공항을 결코 거창하게 짓자는 것이 아닙니다. 폭발하는 수요를 충족시킬 수 있도록 지금의 김해공항을 그대로 두고, 새로운 입지에 활주로 1본의 국제선 전용공항을 만들자는 것 뿐 입니다. 건설비도 김해공항을 확장하는 비용인 7조 원이면 충분합니다. 국가균형발전을 위하여 24시간 운항되면서도 안전하고 소음피해가 없는 제대로 된 동남권 관문공항, 유사시 인천공항을 대신할 그런 국제공항을 건설하자는 것입니다. 정부는 우리의 요구에 화답해야 합니다!

2019년 2월 25일
'김해신공항'반대 동남권관문공항추진100만국민청원부울경범시민운동본부

소음 측정, 비행기 이륙 시간 간격

나는 김해 공항의 비행기가 이륙하는 실제 시간 간격을 확인해 보기 위해 약 1시간 동안 대저 1동에 머물러 이륙하는 비행기를 촬영하였다. 아래는 비행기 이륙 시간 간격을 적은 것이다. 한 시간에 14대가 이륙했는데 평균 4분에 한 대씩 비행기가 이륙을 했다.

대 수	이륙 시간 간격	시간 간격(분)
1	2019년 1월 18일 13시 01분	0
2	2019년 1월 18일 13시 04분	4
3	2019년 1월 18일 13시 06분	2
4	2019년 1월 18일 13시 15분	8
5	2019년 1월 18일 13시 16분	1
6	2019년 1월 18일 13시 24분	8
7	2019년 1월 18일 13시 32분	8
8	2019년 1월 18일 13시 34분	2
9	2019년 1월 18일 13시 37분	3
10	2019년 1월 18일 13시 42분	5
11	2019년 1월 18일 13시 47분	5
12	2019년 1월 18일 13시 51분	4
13	2019년 1월 18일 13시 55분	4
14	2019년 1월 18일 13시 58분	3

〈표 1〉 김해공항 비행기 이륙 시간 측정

전화 받느라고 찍지 못한 것까지 하면 몇 대 더 된다. 차 안에서 촬영했음에도 불구하고 너무 시끄러웠다. 공군 훈련기도 수시로 뜨고 내렸는데, 이 지역 주민들의 소음 고통이 충분히 짐작되었다. 김해공항의 이전은 경제 논리를 떠나 무엇보다도 이 같은 소음 때문에 그 시급성이 요구된다. 즉 인권문제이기도 하다.

2. 강서구를 도시농업특별지구로 지정하자

　청년 일자리 문제가 심각하다. 학교를 졸업해도 마땅한 일자리가 부족하며 젊은이들이 너도 나도 부산을 떠나고 있다. 나는 부산 강서구를 도시농업 특별 지구로 지정하여 청년 일자리도 늘리고 안전한 먹거리 공급처도 확보하는 두 마리 토끼를 잡을 것을 제안한다.

　아래 사진은 도심지 한 가운데 자리 잡은 식물공장[1]과 스마트 농장이 들어서 있는 이미지이다. 하늘 높이 솟아 있는 저 건물이 산업용 제

출처 : (cc) Chris Jacobs, Gordon Graff, SOA ARCHITECTES)에서 재인용

출처 : http://www.whilkor.com/sub/sub6_1.php

품을 생산하는 공장이 아니라 우리가 먹을 상추나 채소 등을 생산하는 밭이라고 상상해 보라. 뭔가 가슴이 벅차오르지 않는가.

부산 강서구는 도시 농업을 하기에 최적지이다. 이미 농업에 종사하는 사람들이 있고 관련 인프라가 어느 정도 구축이 되어 있기 때문이다. 여기에다 스마트 농장, 식물공장을 건립하여 청년 일자리를 창출하자.

일본의 경우 식물 공장의 발전을 이끄는 편의점 중에 세븐일레븐이 있다. 국내에도 이 업체의 가맹점이 있는 것으로 안다. 이 세븐일레븐이 일본의 첨단 농업인 식물공장 농업을 이끄는 견인차가 되고 있는 것이다. 그 외 패밀리 마트와 다른 일본 편의점들도 같은 길에 나서고 있다.

---

1. 식물공장의 개념: "통제된 시설 내에서 생물의 생육환경(빛, 공기,열,양분)을 인공적으로 제어하여 공산품처럼 계획 생산이 가능한 시스템적인 농업형태. 전통적인 농업생산 방식을 개선 할 수 있는 시스템. 날씨나 계절에 관계없이 사계절 농작물을 안전적으로 생산. 비료나 농약을 저투입하는 정밀 농업으로 농작물 안전성 확보. IT, NT, BT 등 최첨단 융복합 기술 활용으로 신성장 동력 산업. 심각한 기후변화에 대응 안정적 식량 확보"

편의점과 농업, 전혀 어울리지 않을 것 같은 이 두 업종이 서로 어떤 관련이 있는지 궁금할 것이다. 이유인즉, 일본의 많은 편의점들이 신선 식품 매대에 진열할 샐러드와 샌드위치 속에 들어가게 되는 채소를 공장형 농장인 식물공장에서 직접적으로 생산을 하기로 방침을 정했기 때문이다. 식물공장은 비가 오나 눈이 오나 바람이 부나 날씨와 기후에 전혀 영향을 받지 않고 1년 내내 언제나 싱싱한 채소를 동일한 가격대에 공급할 수 있는 큰 장점을 갖고 있기에 편의점용으로 안성맞춤인 것이다.

우리나라는 2017년 기준 약 36,800개 편의점이 영업을 하고 있다. 그야말로 편의점 천국이다. 근년에 들어 국내 편의점 일부에서도 식물공장에서 생산된 각종 신선 채소들이 들어오고 있다. 지금 일본의 편의점들이 시도하고 있는 식물공장의 직접 운영 또는 위탁으로 생산한 채소의 납품과 소비가 성공적으로 안착하면 우리나라 편의점들도 따라해 볼 필요가 있다. 앞선 기술과 모범을 따라 하는 것은 부끄러운 일이 아니다. 사실 일본의 식물공장들은 그동안 적자에 허덕였다. 인건비와 전기세가 큰 비중을 차지했기 때문인데, 편의점으로 본격적인 납품을 시작하면서부터 서서히 흑자로 돌아서기 시작했다.

덧붙이면, 세븐일레븐이 식물공장에서 생산한 상추는 도쿄 시내의 매장 2천여개로 공급된다. 주목되는 것은 "세븐일레븐은 이곳에서 수확한 채소를 바로 옆에 있는 식품 제조 공장으로 보내서 샐러드와 샌드위치 등을 생산하고 있다. 식물공장과 식품공장은 실내 통로로 연결돼 있는데, 실내 농장에서 말 그대로, 갓 따낸 채소로 음식을 만드는 것이다. 이렇게 하면 운송 과정에서 채소가 상하거나 오염될 확률도 크게 줄어" 든다.

일본의 식물공장 사업 진출 기업 [2]

일본가스, 가고시마현에서 양상추 등 생산 계획

- 규슈 제2의 도시가스 회사인 일본가스는 액화천연가스(LNG)의 냉열을 이용한 인공조명 식물공장 사업에 진출
- 가고시마현에 3억 8000만 엔을 투자해 공장을 신설하고, 올해 12월부터 조업 개시 계획
- 이 회사에 따르면, LNG를 기화할 때 발생하는 냉열을 통해 식물공장의 온도를 18~25도로 유지함으로써, 식물공장 운영비의 40% 정도 절감 가능
- 이번 사업은 경제산업성의 '농 · 상공 제휴에 의한 글로벌 가치 사슬 구축사업'에 채택돼, 판로를 개척하면 보조금이 지급될 전망

후지츠, IT 활용해 식물공장에서 꽃 재배

- 일본 IT 기업인 후지츠는 생산과정을 기록할 수 있는 농업용 클라우드 서비스와 전자제품 제조에서 축적한 품질관리 노하우를 활용해, 식물공장에서 국화 등 꽃의 시험재배를 올해 안에 개시할 계획
- 또한, 금융기업 오릭스(オリックス)와 함께 5000㎡ 규모의 식물공장에서 푸른잎 채소 생산을 최근 개시. 향후 최적의 생육환경을 조성해 노지 재배에 비해 수확량을 늘리고, 노지 재배가 어려운 품종도 생산함으로써 매출 확대로 연결할 계획

토요테츠(豊田鉄工),
2018년부터 어린잎 채소 양산 계획

TOYOTETSU

- 도요타 자동차 계열 프레스 부품 기업인 토요테츠는 센서를 통해 온도, 이산화탄소 농도 등을 자동 조정, 재배와 수확시기를 공업적으로 관리함으로써 어린잎 채소를 양산할 계획이라고 6월 24일 발표
- 이 회사는 2014년부터 도요타 시내의 독신자 기숙사를 개축해 식물공장을 시험 운영하고 있는데, 여기서 생산한 어린잎 채소를 백화점에 판매하는 등 실적도 쌓아 대형 공장에서 사업화를 결정하게 됨.

2013년부터 식물공장을 운영해온 JEF 엔지니어링

- 산업기계 및 에너지 기업인 JEF 엔지니어링은 홋카이도 식
  물공장에서 어린잎 채소와 토마토를 재배, 이토요카도 등
  에 판매하고 있음.
- 특히 싱가포르에는 수출도 하고 있는데, 일본보다 가격이
  두 배나 높아도 판매 호조를 보이고 있다고 함.
- 이 회사의 임원은 언론과의 인터뷰에서 "제조 공정의 엄격한 관리와 기술을 활용해 일본 농업 경
  쟁력 강화에 기여할 수 있었다"고 밝힘.

히타치 캐피탈, 식물공장에서 딸기 생산 계획

- 히타치 캐피탈은 내년 1월 딸기 수확을 목표로
  오키나와현에 식물공장을 건설할 계획이라고 발
  표(5.7)
- 더위에 강한 품종을 생산해 오키나와현 호텔에 납품하고, 동남아 등에 수출할 목표를 갖고 있으
  며, 딸기농장 관광 체험사업 진출도 고려하고 있음.

　　일본은 전자부품 제조회사가 식물공장을 운영하기도 한다. 비텍홀
딩스라는 회사는 일본 편의점인 패밀리마트에 채소를 납품하고 있다.
전자부품 공장이 채소를 생산하다니 참으로 재미있고 그 발상의 전환
에 경의를 표하고 싶다.

　　앞서 언급했지만 일본에서 편의점 업계가 식물공장을 직접 운영하
거나 외부 위탁을 맡겨 채소를 생산하는 이유는 간단하다. 정해진 품
질, 정해진 용량, 정찰가격에 안정적으로 채소를 공급하고 팔 수 있기
때문이다. 비가 오나 눈이 오나 바람이 부나에 상관없이.

---

2. 자료 출처 : http://news.kotra.or.kr 코트라

일본에서 식물공장을 운영하는 업체는 도시락을 만들던 회사도 있고, 파라소닉 같은 큰 전자제품 제조사도 있다. 후지쯔도 있다.

나는 앞으로 우리나라도 식물공장이 대세로 자리 잡을 수 밖에 없다고 생각한다. 왜냐하면, 우선 농사를 안정적으로 지을 사람이 절대적으로 부족하다. 우리 농촌을 현실을 보라. 나이 70이 젊은 축이 속한다. 완전 고령화 농촌이 되었다. 때문에 채소며 각종 농산물을 앞으로 제때 공급받기가 쉽지 않을 수 있다. 특히 년 중 소비가 꾸준히 일어나는 채소류 등은 현재의 농업 인력으로는 더 이상 안정적으로 공급받기기 어려울 것이다. 그러니 식물공장이 제격이다.

우리 강서 지역에는 원 뿌리가 경남 출신인이 설립한 LG전자 정도 되는 규모의 회사가 대규모 식물공장 사업에 뛰어들어야 한다. 그리하여 강서구, 북구 사상구 등 부산 지역 청년들의 일자리를 만들어 내야 한다. 왜 하필이면 LG를 거론했냐고 묻는다면 다음에 말할 기회가 있을 것이다. 참고로 일본은 이미 동남아와 러시아 등지로 식물공장 사업을 수출하고 있다.

강서구에 공기업 식물공장 건립을

내일 당장 식물공장을 지어 생산한 채소 등을 납품 한다고 해도 국내에서는 아직까지 수지타산이 맞지 않는다. 적게는 몇 십억에서 많게는 100억대 이상 공장 건립비용이 들 것이기 때문이다. 그러나 방법을 찾으면 길은 보이게 되어 있다. 부산시에서 나서야 하는 것이다. 현재 부산시는 산하에 제법 많은 공기업을 거느리고 있다. 관광공사, 지하철, 상하수도, 도시공사 등 얼핏 떠오르는 것만 해도 제법 된다. 조금 전 언급했듯이 식물공장에 초기 투자비용이 많이 들기 때문에 투자를 할 수 있는 자자체 같은 곳에서 먼저 투자를 해야 한다. 그렇게 출자를 하여 공기업으로 만들어서 운영을 하다가 어느 시점에 이르러 민간에 매각하거나 위탁 경영을 맡기면 될 것으로 본다.

강서구는 식물공장을 하기에는 최적지이다. 활용할 수 있는 부지가 많기 때문이다. 30층 높이의 아파트형 규모의 식물공장에서 생산한 채소 등으로 5만 명이 먹을 수 있다고 한다. 강서구 인구의 절반이 먹을 수 있는 양이다. 그렇다면 30층 규모의 식물공장 두 개를 지으면 강서구 인구 전체가 먹을 수 있다는 말이 되는 것이다. 물론 상추 등 몇 가지 한정된 채소에 한해서 일 것이다.

에코델타시티 부지 중 적당한 곳에 시범적으로 식물공장 하나를 우선 세워보자. 일단은 크게 지을 필요가 없다. 1000평 규모로 지어 시작을 해서 매출 규모 등을 봐 가며 보완해 가면서 점차 규모를 늘리면 된다.

도심의 아파트형 식물공장 아이디어를 최초로 낸 사람은 미국 컬럼비아 대학 데포미에 교수다. 1997년에 최초로 제시를 했으나 당시에는 그렇게 주목을 받지 못한 것으로 알려졌다. 그러나 현재와 같은 기후변화, 기상이변이 속출하는 상황에서 이 식물공장은 미래 먹거리의 안정적인 공급처로 유일한 대안이라고 데포미에 교수는 강조한다. 우리나라 남극 세종기지에서 대원들이 신선한 채소를 제대로 먹을 수 있었던 것도 컨테이너를 개조해서 만든 식물공장 덕분이다. 남극 기지에 설치해 놓은 것이다.

멀리 서울이나 경기도까지 가서 일자리를 찾지 말고 가까운 우리 지역에서 이 같은 식물공장 등 최첨단 일자리를 만들어 청년들을 부산시민의 한 사람으로 더불어 살아갈 수 있도록 하자. 부산 인구 전체를 감안할 때 각 구 마다 최소 두 개 이상의 식물 공장을 만든다 하더라도 거기에 취업할 수 있는 청년들의 일자리는 천 개가 넘는다. 깔끔하게 차려 입고 아파트를 나서는 출근하는 청년에게 물어보자. "이봐요 젊은이, 혹시 무슨 일을 하나요?" "네, 저는 농사를 짓습니다. 청년농부입니다." 아 이 얼마나 멋진 일인가. 상상만 해도 즐겁지 않은가. 식물공장, 도시농업의 최적지는 강서구다. 우리 지역을 도시농업특별지구로 선포하여 각종 세제 혜택과 재정지원이 이루어지도록 하자. 부산시와 정부가 적극적인 관심을 갖도록 우리 모두 지혜를 모아보자.[3]

---

3. 일본 정부는 2009년부터 식물공장 활성화를 위해 노력했다. 특히 농업진흥지역정비법 개정으로, 농업 생산성 향상을 위해 기업도 최장 50년간 농지 차용을 가능하게 하면서, 기업의 농업 진출의 물꼬를 트고 대형 식물공장 확대 계기를 마련했다. 또한, 2009년에는 농업과 상업 제휴의 상징으로 식물공장 관련 약 147억 엔에 달하는 거액의 예산이 편성돼, 식물공장을 도입하려는 농업 생산법인, 기업 등에 보조금 등으로 지급했다. 이후 2015년까지 총 500억 엔의 보조금이 투입된 것으로 나타났다. 한편, 2016년부터는 농업진흥지역정비법을 수정해 농지에 식물공장 건설이 가능하다는 것을 명시함으로써, 식물공장 운영비용을 낮추고 기업의 농업 진출을 더욱 촉진하게 되었다. 기존에는 농지에 식물공장 건설이 가능하다는 것이 명문화 돼 있지 않아, 땅값이 비싼 주거 및 공업지역에 세워지는 경우가 많았는데 이를 해소하기 위함이다. 또한, 기존에는 지자체가 건설 여부의 판단 권한을 가지고 있어, 기업의 진출을 가로막는 요인으로 작용했으나 이런 조치를 통해 일본 정부는 후쿠야마현 면적에 필적하는 전국의 휴경지 활용 촉진도 노리고 있다. 〈출처 : 오사카 무역관〉

3. 낙동강 하굿둑 개방으로 생태관광 활성화 하자[1]

문재인 정부 들어서서 그 동안 논란이 되었던 4대강 사업에 대한 정책감사와 함께 조류 저감을 위해 우선적으로 6개보의 수위를 낮추는 결정을 신속하게 내렸다. 관련하여 지금 부산시가 추진하고 있는 낙동강 하굿둑 개방 방침 역시 문 대통령의 공약 사업이어서 크게 탄력을 받을 것으로 예상된다.

농림부에 따르면 전국에 하천 하구는 총 463곳이며 이중 228곳 (49%)이 닫힌 하구 즉 바닷물이 강 상류로 올라오지 못하도록 하굿둑 (방조제) 1,611개소가 건설되어 있다.

하굿둑은 농업과 생활용수 공급으로 산업 발전에 기여했을 뿐만 아니라 대형 토목사업이 갖는 경제 파급력 때문에 건설 당시만 해도 국민들에게 경제 성장의 상징처럼 비추어졌다.

---

2. 이 글은 필자가 2017년 6월, 낙동강 하구둑 개방 관련 연구를 한 전문가를 부산우리민족서로돕기 운동 사무실에 초대하여 인터뷰한 내용을 정리한 것이다. 현직 공무원 신분이라 이름은 밝히지 않는다.

그러나 90년대 들어서면서 하천 하구 해수 유통 차단으로 인한 대량 조류 발생 등 급격한 수질악화와 어업자원 고갈, 철새 서식지 감소 등으로 생태적 가치가 급격히 악화되면서 개방 필요성이 제기되기 시작했다.

낙동강 하굿둑은 2000년대 이후 수문 개방 요구가 시민단체를 중심으로 지역주민, 학계 등 다양한 분야에서 목소리가 커져 오다가, 급기야 2015년 부산시가 전격적으로 하굿둑 수문 개방을 선언하면서 개방 찬반의 논쟁에 종지부를 찍었다.

세계적으로는 1990년대 후반에 들어서면서 대부분의 선진국은 댐 건설을 멈추고 하구 생태계 복원 및 하천 재자연화 정책을 펴기 시작했다. 2015년 환경부 '낙동강 하구 생태복원을 위한 타당성 조사연구'용역 보고서에 따르면 미국은 미환경청(EPA) 주도하에 90년부터 8년 동안 '연안습지 계획 보호와 복원법'을 통해 루이지애나 주 연안 습지를 복원하였고, 1999년 이후 860개 이상의 댐(또는 보)을 해체 하였다. 유럽 연합의 경우 '89년부터 MAST(Marine Science and Technology) 프로그램을 통해 연안습지 관리 기술을 개발하였고 특히 네덜란드는 '2004년 휘어스호(VeerseMeer), 그레벨링엔호(Grevelingen) 해수 유통을 통해 녹조 문제 해결과 함께 생태 환경이 개선되면서 수상스포츠, 레저 등 휴양객 증가로 지역 주민들의 삶이 윤택해지는 대성공을 거두었다.

일본도 2002년 「자연재생촉진법」 제정으로 자연친화적인 하천복원을 추진하여 '2010년 나가라가와강 하구 기수생태계 복원'으로 어업 자원이 풍부해지면서 지역 경제 활성화에 크게 기여하는 성과를 얻고 있다.

선진국에 비하면 늦은 감은 있지만 우리나라도 낙동강 하구 기수생태계 복원 사업이 결정되면서 부산시를 중심으로 복원 사업은 급물살을 타며 진행되었다. 2015년 개방선언에 이어 2016년 하구에 실시간 염분 모니터링 사업이 완료(10개 지점 17개소 측정)되었다. 이와 별도로 학계에서는 낙동강 하굿둑 개방에 대한 다양한 연구가 이미 진행되어 왔다. 부산대 김도훈의 낙동강 하구역에서 염분도 거동에 관한 조사 및 분석 연구(공학박사학위 논문, 2010), 부산대 한종수의 수치 계산에 의한 낙동강 염수쐐기에 관한 연구(공학석사학위 논문, 2011), 인제대 이기선의 EFDC를 이용한 낙동강 하굿둑 개방시 기수역 변화 평가에 관한 연구(공학석사학위 논문, 2010), 공주대 손용구의 EFDC를 이용한 낙동강 하구부 염수침입 수치 모의(공학박사학위 논문, 2009) 등 박사학위 논문 2편 석사학위 논문 2편이 출판되었다.

또한 환경부 주관으로 2015년 시행된 낙동강하구 생태복원을 위한 타당성 조사연구 용역에서 부산대와 한국해양과학기술원이 공동으로 참여하여 하굿둑 수문 개방 및 기수 생태계 복원과 관련한 많은 연구 성과가 도출되었다. 이와 같은 학문적 성과를 바탕으로 시민단체와 학계에서는 조기 개방이 가시화 될 것으로 크게 기대하고 있었다.

그러나 지난 5월 25일 낙동강물관리종합센터(수공)에서 환경부, 건교부, 부산시, 수공 등 관계기관과 관련 시민단체, 대학, 어민 등 다양한 분야 전문가들이 모여 더불어민주당 부산시당 주최 '낙동강은 흘러야 한다'라는 주제로 정책 간담회를 가졌다. 이 간담회에서 국토부 정책과장은 그동안 개방관련 연구 성과를 아는지 모르는지 개방을 위해서는 앞으로 1년 모델링 연구와 2년간 수리 모형실험 후에 개방여부를 결정해야 한다고 주장했다. 참으로 어이가 없다. 조금 전 언급했듯이 그동안 학계와 전문연구기관에 의해 낙동강 하구 조위 재현과 강 상류 유량을 반영한 염분 침입거리 산정, 기수역 확대 시나리오로 단계개방, 전면 개방, 수중보 실효성 여부, 대체 기수로 조성 등 생태복원과 관련한 대부분의 문제가 이미 규명된 상태이다.

이와 같은 기존의 연구 성과에도 불구하고 또 다시 1년간 모델링 연구를 수행해야 하는 이유가 무엇인가? 만약 부산대, 인제대, 공주대, 한국해양과학기술원 등의 연구 성과를 인정할 수 없다면 대한민국 어느 대학 어느 연구소에서 연구를 해야 한단 말인가? 무엇 때문에 추가 연구가 필요지 국토부는 그 필요성을 명확히 밝혀야 한다.

모형실험 2년도 마찬가지다. 또 다시 2년이란 시간과 돈을 투자해 도대체 무슨 연구하겠다는 것인가? 혹시 모델링 연구를 믿을 수 없어서 실험으로 확인해야 한다고 주장한다면 이는 몰라도 한참 모르는 주장이다. 수리모델링 기술은 컴퓨터 하드웨어의 성능 개선에 힘입어 비약적인 발전을 거듭하여, 이미 일부 실험을 충분히 대체하는 수준까지 와 있다. 특히 항공기, 화공, 반도체, 의료 등 대부분의 산업 분야에서 수리 모델링 기술이 활용되고 있을 만큼 관련 기술의 신뢰도는 높다.

4대강 사업을 추진했던 국토부는 지금까지 낙동강 하구 생태복원

사업에 반대해 왔다. 그런 연장선에서 국토부는 하굿둑 개방을 공약으로 내세운 현 정부 정책에 반대 할 수 없어서 연구를 핑계로 사업을 지연시키려는 것은 아닌지 의심하지 않을 수 없다.

기존의 연구 성과를 종합적으로 판단할 경우 추가적인 연구는 시간 낭비일 뿐이며 당장 개방하지 못할 이유가 없다. 수문 개방과 관련한 대부분의 기술적 문제가 이미 규명되었기 때문이다. 상류 유입 유량별, 조위별 염분 침투거리가 산정되어 있을 뿐만 아니라 염분 농도 제어를 위한 온−오프(on−off)방식의 수문 조작은 이미 산업계에서 광범위하게 사용되고 있는 단순 기술이다. 또한 이미 일본이나 유럽에서 이와 같은 방식으로 염분 농도를 제어하고 있다. 추가적인 시간과 돈을 낭비할 이유가 없다.

현실적인 제안을 한다면 상류 함안보 방류량이 증가하는 7~9월에 일본 도네강 해수유통 수문조작 방식으로 낙동강 하굿둑 수문을 시범적으로 개방해 보면 위험부담 없이 기수 생태계 복원 가능성을 충분히 실험할 수 있다.

낙동강 기수역 생태계 복원은 모두에게 이익이라는 점은 이미 선진국 사례뿐만 아니라 수많은 문제를 야기했던 시화호 문제가 결국 수문 개방을 통해 해결되는 사례를 우리는 이미 경험하지 않았던가?

낙동강 하굿둑 개방을 시작으로 생태계를 복원하여 동양 최대의 철새도래지의 명성을 되찾아 수많은 동식물로 활기 넘치는 낙동강 하구를 후대에 물려주어야 할 것이다. 낙동강을 끼고 있는 강서구, 북구, 사상구, 사하구를 포함하여 관련 지방 의회 의원들도 이 문제에 적극적으로 관심을 갖고 주민들을 상대로 잘 홍보해야 할 것이다. 특히 미래 명품 도시를 표방하는 강서구가 적극적으로 나서야할 것이다.

하굿둑이 전면 개방이 되면 북구 화명동 금곡동을 포함하여 강서구 명지동은 생태 관광의 출발지로서 더욱 각광 받게 될 것이다.

4. 심야 버스를 운행하자

　강서구는 주민들의 평균 연령대가 약 38세로 부산 그 어느 지역보다도 활기찬 도시이다. 앞으로 많은 발전 가능성이 있는 지역이다. 다만 현재는 낙동강을 건너와야 하는 부산의 외곽 신도시라 접근성이 매우 떨어지는 입지적 불리함은 있다. 이 때문에 시내 방향에서 명지동이나 기타 강서구 지역을 찾을 경우 많은 택시비용이 드는 것은 물론이고 자가용 승용차가 없으면 접근하기가 쉽지 않다.

　낮 시간은 그렇다 치더라도 밤 시간이 더 문제라고 보고 있다. 버스가 끊기고 지하철(향후 명지동 방향에 경전철 운행 예정)이 운행을 멈춘 시간대에는 어떻게 퇴근할지 사실 막막하다. 물론 자가용이 있는 사람이라면 사정이 다르겠지만 요즘은 자가용 승용차가 없는 경우도 좀 많다.

　나는 오랫동안 북구 지역에서 심야버스 운행 주장을 해 온 사람으로서 강서구는 물론이고 부산 전역에 심야 지하철이나 경전철을 운행해야 한다고 생각한다. 그러나 현실적으로 차량 정비 등의 문제로 심야

지하철이나 경전철은 운행이 불가한 것으로 보인다. 때문에 역시 심야버스가 그 대안으로 생각된다. 특히 강서구 지역과 기장군 지역은 교통편이 굉장히 불편하다. 그래서 우선적으로 부산시에서 이 지역만으로도 예산을 편성해서 실시하는 것이 맞다고 본다. 시범 운행 후 그 만족도가 높다면 부산 지역 전역으로 확대해 보는 것이 바람직할 것이다. 심야버스를 운행하게 되면 특히 이동노동자(대리기사 등)에게는 정말 큰 도움이 될 것이다. 대리 기사들은 목적지 도착 후 다시 콜을 받지 못하면 자택 가까운 곳으로 돌아가기 위해서는 정말 어려운 경우가 한두 번이 아니다. 부산 지역 전체 대리기사들의 숫자는 약 12,000명이다. 심야버스 운행은 이들의 이동 불편 해소에 큰 도움이 될 것이다. 물론 이들을 위해 심야버스를 운행해 달라는 것은 아니지만 강서구와 북구, 기장군에는 빠른 시일 안에 도입이 절실하다.

II

남북
통일협상을
시작하자

1. 북한 핵 문제, 이렇게 하면 풀 수 있다

미국 시간으로 2018년 9월 29일, 리용호 북한 외무상은 유엔 총회 연설을 통해 일방적인 핵무장 해제는 결코 있을 수 없다고 전 세계 앞에 공언하며 미국의 상응조치를 촉구하였다. 북한의 그러한 입장은 2017년부터 핵 · 미사일 실험을 중단하고, 풍계리 핵 실험장을 폐기하였으며, 동창리 미사일 발사대 영구 폐기 언급, 미국의 상응 조치에 따라 영변 핵시설 폐기 등 일련의 조치를 취할 용의가 있다고 밝혔음에도 불구하고 미국이 종전선언이나 평화협정 체결에 나서지 않는 것에 대한 당연한 반응이었다.

미국이 지금 같은 태도로 일관하다가는 북–미간 막말을 주고 받았던 상황으로 되돌아가지 않는다는 보장이 없다. 그러나 북한 핵 문제는 의외로 쉽게 풀릴 수 있는 해결 방안이 있다.

앞서 언급했듯이 북한이 일방적인 선 핵포기는 결코 있을 수 없다는 것을 천명한 이상, 만약에 미국 또한 기존의 입장에 변함이 없다면 북한 핵문제 해결을 위한 더 이상의 해법은 존재할 수 없다. 일부에서

는 우크라이나 방식을 거론하고 있는데 이 또한 실패한 사례라고 할 수 있다.[1]

향후 북−미 간의 협상이 잘 진행되어 '미래 핵' 문제와 관련된 의구심은 완전히 해소타결되었다고 하더라도 결국 최종 단계에서는 '과거 핵'을 어떻게 처리할 것인가가 핵심적인 사안이 될 수밖에 없을 것이다.

미국은 북한이 보유한 핵탄두 절반을 영국으로 반출하는 것을 원한다는 언론보도도 있었다. 그러나 이는 북한 핵문제가 완전히 타결되는 시점이라도 북한에서 결코 받아들일 수 없는 문제일 것이다. 이에 본인은 이런 문제를 일거에 해결할 수 있는 방안이 있음을 밝히고자 한다. 그 해답은 다음과 같다.

▲올해 안에 북−미 정식 외교 관계를 수립하여 평양에 미국 대사관을 설립하고 ▲북한 주재 미국 대사관 안에 별도의 시설을 건립하여 그 곳에 북한의 핵무기 및 핵탄두를 이전하고 양측이 감시함 ▲북한 주재 미국 대사관 직원으로는 미 국방부 또는 국무부 장관이나 대통령의 가족 1인 이상을 직원으로 파견하는 안이다.

주재국의 대사관은 치외법권지대로 국제법상 주재국 본토 영토나 마찬가지로 인정된다. 따라서 그 어떤 악화된 상황이 발생해도 북한이 평양 주재 미국 대사관에 들어가서 핵무기를 다시 꺼내올 수 없을 것

---

1. 1991년 소련 연방 해체 후 우크라이나는 세계 3대 핵무기 보유국이 됨. 당시 176기의 핵무기, 1800기의 핵탄두 보유. 미국이 부랴부랴 나서 1994년 미.러.영.프.중의 안전보장과 경제적 지원을 받고 우크라이나는 러시아로 핵무기 전체를 이전하고 NPT에 가입. 그러나 2015년 1월 1일, 러시아가 사실상 힘으로 크림 반도를 자국으로 편입함으로서 우크라이나 입장에서는 핵무기를 넘긴 것을 크게 후회함. 1994년 핵포기시 안정보장을 약속했던 4개 나라는 우크라이나에 아무런 도움을 주지 않음. 북한이 이런 방식을 따르지 않을 것은 명약관화.

이다.

　본인이 제시하는 이 방안은 미국 입장에서는 북한 핵무기를 미국 영토로 이전시켰다는 협상 성공을 의미하는 것이고, 북한에서는 미국 본토로 핵무기를 반출하지 않고 자국 영토 안에 그대로 둠으로서 자존심을 지키게 됨과 동시에 비핵화에 대한 약속도 이행하여 대외적으로도 명분과 실리를 동시에 얻는 효과가 있다고 할 것이다. 이 방식은 북미 어느 한쪽의 손해나 승리가 아닌 양쪽 모두의 승리가 된다. 이 방안이 모두가 만족하는 가장 최선의 해결 방식이다. 트럼프가 북한 핵무기를 미국 땅으로 이전해 왔다고 큰 소리쳐도 허튼 소리가 아니다.

　우리 당국은 오늘이라도 이 안을 북한과 미국에 제안해 보길 바란다. 양측 다 거부할 아무런 이유가 없다고 판단된다.

2. 비무장지대 안에 독립운동가 추모공원 건립을

현지 시간으로 지난 9월 24일 문재인 대통령은 유엔 총회 연설에서 휴전선 비무장지대를 국제 평화지대화 하겠다는 것을 발표하였다. 적극 환영해 마지않는다. 반드시 추진되어 성사되었으면 한다. 이에 덧붙여 내가 오랫동안 구상해온 안을 말해 보고자 한다. 독립운동가 추모공원 조성에 관한 것이다.

2018년, 대통령 직속의 '3·1운동 및 대한민국임시정부 수립 100주년 기념사업 추진위원회'가 출범했었다. 그 자리에서 문재인 대통령은 '남과 북이 독립운동의 역사를 함께 공유하게 된다면 서로의 마음도 더 가까워질 것'이라고 언급했다.

2019년 3·1운동 100주년 행사를 남북이 공동으로 개최할 뜻을 밝힌 것이다. 부산우리민족서로돕기운동 사무총장인 나는 대통령의 그같은 뜻을 개인적으로도 그렇고 단체 차원에서도 적극적으로 환영했다. 거기에 덧붙여 한 가지 중대한 제안을 우리단체 홈페이지 논평을 통해서 제안을 하였다. 군사분계선 비무장지대(Demilitarized Zone)

안에 독립운동가 추모 공원을 건립하자는 것이다.

한때 DMZ 안에 평화공원을 조성하자는 이야기도 나왔지만, 지난 이명박근혜정권을 거치면서 그런 말도 쏙 들어갔다. 그러나 이제는 4·27 판문점 선언에 발맞춰 남북이 지금까지 한 번도 경험하고 상상해 보지 못한 사업의 추진도 가능하게 되었다고 생각한다. 그것이 바로 대통령도 말한 독립운동 역사와 관련된 공동사업인 것이다. 독립운동의 역사야 말로 남북이 아무런 거부감 없이 같이 할 수 있는 사업이다. DMZ에 독립운동가 추모 공원이 들어설 경우 엄청난 효과가 기대된다.

첫째, 남북 공동의 성지(聖地)가 탄생하는 것이다. 분단이후 남북은 사실상 외국 같이 완전히 서로 다른 나라로 살아왔다. 그러나 과거에도 그렇고 지금도 그렇고 남북은 하나의 역사를 지닌 하나의 민족이다. 다시 하나로 뭉치는 과정에서는 무엇보다도 공통점을 앞세워 공동으로 할 수 있는 사업을 찾아 민족의 동질성을 회복해 가는 것이 중요하다. 독립운동은 남북이 공히 하나로 공유하고 인식해야 할 소중한 우리 역사라는 점에서 사상과 이념, 출신 지역에 상관없이 독립 운동가들의 유해를 한 곳으로 모셔 남북이 공동으로 관리하고 그 정신을 기릴 공간이 반드시 필요한 것이다. DMZ에 독립운동가 추모공원을 건립하여 기존에 남쪽 지역 출신 독립운동가나 북쪽 지역 출신 독립운동가나 가릴 것 없이 모두 모셔와 그곳을 남과 북이 공히 인정하는 성지로 만들자. 이런 것이 바로 지금 이 시기에 남북이 가장 먼저 해야 할 공동 사업 아니겠는가.

둘째, 전쟁의 방지다. 4·27 판문점 선언은, 더 이상 이 땅에 전쟁은 없다고 못 박았다. 그것을 현장에서 가장 확실하게 보여줄 상징적인 장소가 'DMZ 독립운동가 추모공원'이 될 것이다. 생각해 보라. 나라의 독립을 위해 싸운 선열들을 모신 성지(聖地)을 앞에 두고 어떻게 그 후손들이 서로 총부리를 겨눌 수 있겠는가. 혹여 훗날 어떤 정신 나간 지도자가 나타나 상대방을 군사적으로 공격하려든다면 그 성지(聖地)부터 짓밟지 않고서는 공격을 감행할 수 없을 것이다. 감히 누가 그런 간 큰 짓을 하겠는가. 때문에 DMZ 독립운동가 추모 공원은 그 무엇과도 비교할 수 없는 가장 확실한 '전쟁예방시스템' 역할도 하게 되는 것이다.

셋째, 해외 독립운동가 유해를 안치할 가장 적절한 공간이 확보되는 셈이다. 부산우리민족서로돕기운동은 자체적으로 해외 독립운동가 유해를 국내로 모셔오는 사업을 구상하고 있다. 그러나 그러한 사업은 민간단체에서 하기에는 영 모양이 좋지 않다. 이제 촛불항쟁으로 들어선 문재인 정부이니 만큼 어떻게 하든 국가가 그런 일을 해야 하는 것이다. 일제하 가장 훌륭한 독립 투사였던 홍범도 장군의 유해는 아직도 국내로 봉환하지 못하고 저 멀리 카자흐스탄에 묻혀 있다. 광복 74년이 되었는데도 우리 후손들이 선대 독립운동가들을 이렇게 홀대해서야 되겠는가! 참고로 홍범도 장군은 북쪽 지역 출신이다. 설사 남측에서 나서서 모셔온다고 해도 안치할 장소를 놓고 남북 간에 갈등이 빚어질 수 있다. 바로 그럴 경우, 남북이 공동으로 관리하는 DMZ 독립운동가 추모공원으로 유해를 모실 수 있는 것이다. 그 외 사회주의를 지향했던 수많은 독립 운동가들과, 국외에서 모셔오지 못한 더 많은 독립운동 선열들의 유해를 찾아 이곳에 안치할 수 있을 것이다.

넷째, 본격적인 지뢰제거 작업의 서막을 알리는 계기가 될 것이다. DMZ 안에는 100~200만 발 가까이 지뢰가 묻혀 있는 것으로 추정되고 있다. 통일이후에도 이 지뢰 제거 문제는 큰 골칫거리가 될 것이다. 마침 육군참모총장이 지뢰작업을 시작하여 육군이 평화구축에 앞장서겠다는 포부를 밝혔다. DMZ 안에 독립운동가 추모공원을 건립하려면 어차피 지뢰를 제거해야 한다. 이것을 계기로 통일되기 전까지 지속적으로 지뢰 작업을 해 나간다면 큰 걱정거리 하나를 없애는 효과를 보게 되는 것이다.

2019년은 3 · 1 운동 100주년, 임시정부 수립 100주년이 되는 해이다. 이 뜻깊은 해를 넘기기 전에 남북 공통의 역사인 독립운동가들의 투쟁 역사를 공유하고 기리는 추모 공간건립을 반드시 시작하자. 분단된 상황하에서 DMZ는 가장 적절한 장소다. 이 문제에 대해 청와대를 비롯하여 정부당국의 적극적인 검토와 추진이 필요하다. 김정은 위원장에게 내일이라도 제안을 할 필요가 있다. 남북 당국의 움직임이 늦다면 해내외를 비롯하여 온 겨레가 서명 운동도 시작해 볼 수 있을 것이다.

3. 통일 협상

　한반도의 새날이 밝았다. 새날은 2018년 4월 28일부터이다. 이제 남북 분단의 역사는 '4 · 27 판문점 선언' 전후로 나뉘게 되었다고 해도 과언이 아니며, 거기서부터 새로운 역사가 쓰여 지기 시작한 셈이다. 어떤 이는 판문점 선언을 세계적 냉전 해체의 시작을 알린 몰타선언의 한반도판이라며 흥분을 감추지 못한다. 그도 그럴 것이 내용이 파격적이다. 남북 정상은 "한반도에서 더 이상의 전쟁은 없을 것이며 새로운 평화의 시대가 열리었음을 8천만 겨레와 전세계 앞에 엄숙히" 천명하였으며 하늘, 땅, 바다를 비롯한 모든 공간에서 상대방을 향한 일체의 군사적 적대행위를 하지 않는다고 선언하였다. 이를 제도적으로 뒷받침하기 위해 종전선언과 함께 정전협정을 평화협정으로 전환하여 항구적인 평화체제를 구축하기로 합의했다.

　지금은 남북관계가 일시적으로 냉각되어 있는 것이 사실이지만, 필자는 판문점 선언이 잘 이행될 것이라는 점은 의심의 여지가 없다고 본다. 김정은 위원장이 8천만 겨레와 전 세계가 보는 앞에서 과거에 합의된 몇 가지가 이행되지 못한 사실을 재차 거론하며 실천을 강조했기 때문이다. 이는 그 책임이 북측에 있지 않다는 점을 하소연하는 것처럼 보이기도 했고, 그 자리에 없는 또 다른 누군가의 책임임을 강조하는 것으로 느껴지기도 했다. 어쨌든 한반도 평화의 대장정, 통일의 문을 여는 새 역사는 4·27 선언과 함께 다시 시작되었다. 이대로만 가면 향후 10년 안에 통일을 이루지 못할 이유가 없다.

관련하여 나는 이 자리에 한 가지 제안을 하고 싶다. 가까운 시일 안에 남북정부, 제정당, 시민사회가 총망라된 〈조국통일준비위원회〉를 구성하자는 것이다. 우리가 왜 이렇게 완전한 평화를 갈망하고 남북의 교류와 협력을 기대하는가. 결국은 통일을 위해서다. 통일을 하지 않으려면 휴전선을 그대로 두고 평화협정을 체결하고 판문점 선언만 잘 지켜나가면 된다. 그러나 우리민족은 그 이상을 전진해야 한다. 즉 조국통일의 길로 들어서야 하는 것이다.

우리는 더 이상 갈라져 살 수 없고 그래서도 안 되는 민족이다. 한국전쟁 당시 헤어진 이산가족부터 1990년대 이후 생겨난 북향민(탈북자)들까지 부모형제가 남북으로 갈라져 그리움에 목메는 사람들이 부지기수다. 같은 역사, 같은 언어, 같은 조상을 모시고 수천년을 같이 살아온 민족이다. 분단의 적폐를 어찌 말로 다 설명할 수 있으랴. 더 이상 갈라져 살아야 할 이유가 없다면 통일은 빠르면 빠를수록 좋다. 그것이 최고의 선이다.

조국통일준비위원회(약칭 조통위)를 구성해서 통일협상을 시작하자. 6·15, 8·15, 10·4 등 남북이 공히 기념해야 날은 전부 다 조통위가 주최·주관하도록 하자. 이산가족 상봉 행사도 조통위에서 하고 남북의 경제협력, 문화체육 교류 사업 등도 전부 다 조통위 이름으로 하자. 기존의 6.15공동위는 발전적으로 해산하자. 때마침 4·27 판문점 선언에 따라 개성에 양측 당국자가 상주하는 남북공동연락사무소가 개설되었다. 이 사무소의 명칭을 '조국통일준비위원회 남북합동사무소'로 수정하자. 상주인원을 늘리고 여기서 매일 매일 통일 협상을 하자. 그렇게 해서 통일에 걸림돌에 되는 각종 난관을 풀어내자. 딱 365일 동안 통일 협상 기간을 가지고 마침내 남북통일 날짜를 정하자.

통일 협상에는 통일된 나라의 체제 문제가 반드시 거론될 수밖에 없다. 어쩌면 그것이 가장 큰 난관이 될 수도 있을 것이다. 반통일 세력들의 핵심 공격 지점이 될 것이기 때문이다. 하지만 그 문제는 이미 6·15 공동선언이라는 통일의 이정표가 있고, 나라 밖으로는 홍콩을 반환 받은 중국 정부가 1국 2제를 채택한 것을 잘 참고하여 대응해 나가면 능히 극복해 낼 수 있을 것이다.

어떤 이는 통일 날짜를 어떻게 확정할 수 있겠는가 라고 물을 것이다. 그러나 협상이 잘 된다면 '통일의 날'을 정하지 못할 이유가 없다. 오히려 어느 날 갑자기 오는 통일이라면 그것처럼 혼란스러운 일도 없을 것이다. 4년마다 열리는 올림픽과 월드컵도 날짜가 미리 정해져 있다. 적절한 비유인지는 모르겠지만, 1898년 영국이 '홍콩경계확장특별

조항'을 내세워 청나라로부터 홍콩과 그 주변 지역을 차지하면서 99년 후에 돌려주기로 약속한 것도, 결국 날짜를 정해 놓았기 때문에 중국이 1997년 7월 1일 홍콩을 반환 받기가 수월했을 것이다. 올해는 남북이 갈라져 산지 74년째다. 제발 분단 100년은 넘기지 말자!

III

국회를
혁신하자

1. 국회의원에게 최저임금제 적용을

현재 국회의원 연봉이 얼마인지 알아보기 위해 인터넷을 검색해 봤다. 연간 받는 총액이 약 1억 5천만 원에 이른 것으로 확인되었다. 필자는 이 돈이 국회의원들의 활동에 비해 너무 과하다고 생각한다. 물론 이러한 연봉 이상의 노력을 하는 의원들도 있다는 것을 잘 안다. 그렇지만 거의 대다수 국회의원들, 특히 자유한국당 의원들의 형태를 보면 도저히 국회의원직을 수행하는 사람들로 보이지 않는다. 그들은 그저 고연봉에 안정적인 일자리로, 평생 놀고 먹는 직장으로 국회를 활용하고 있는 것 같다.

나는 이 자리에서 제안을 한다. 국회의원들과 장관의 급여는 법률이 정하는 최저임금제를 적용해 받자는 것이다. 2020년 적용 최저임금이 시간당 8,590원이다. 이 금액을 법과 제도를 만드는 국회의원들과 그것을 집행하는 정부 조직의 수장인 장관들부터 적용해 보자는 것이다. 그렇게 되면 거의 절대 다수의 국민들이 국회의원직이나 장관직을 수행하는 사람들이 진정으로 나라와 국민들을 위해 활동하는 사람들이라고 여기고, 만약 점수 평가를 한다면 100점에 60점은 기본 점수로 인정해 주고 평가하게 될 것이다.

필자가 이렇게 주장하면 반드시 반론이 있을 줄 안다. 특히 국회의원이나 장관은 '손가락 빨고 사느냐'고 강력히 항의를 할 수도 있을 것이다. 그러나 거기에 대한 대안이 충분히 있다.

첫째, 학비 면제다.

지금까지 교육 공무원 자녀들은 학비를 전액 면제 받아 왔다. 그러나 조만간 일반 국민 전체에게 고등학교까지 무상 교육이 실시되는 것으로 알고 있다. 때문에 앞으로는 일반 국민이건 국회의원이건 학비가 들 일이 없다. 문제는 대학생 자녀가 있을 경우이다.

국회의원 자녀 중에 대학생이 있다면 학생 자녀가 몇 명이든 관계없이 국가에서 등록금 전액을 면제해 주면 간단하다. 단 외국의 대학교로 진학하는 경우에는 등록금의 1/3만 지급하는 조건을 달면 될 것이다. 이렇게 하면 학비 걱정 문제는 해결된다.

둘째, 국회의원 전용 체크카드 지급이다.

최저임금만 받고는 생활하기가 곤란하기 때문에 생활비를 국가에서 책임지자는 것이다. 다만 그 생활비 지급 방식은 현금이 아닌 포인트로 지급해 주면 된다. 1인당 국민 생활비는 통계청에 나와 있을 줄 안다. 객관적인 생활비 적정 금액을 마련해서 매월 생활비로 쓸 수 있는 돈을 체크카드에 입력해 주면 된다.

셋째, 교통비 면제다.

현재도 국회의원들은 일부 교통비를 면제 받고 있는 것으로 알고 있다. 그러나 앞으로는 국내에서 이동시 그 어떤 수단을 이용하더라도 100% 면제를 해 주면 된다. 시골 버스 포함, 택시도 규정을 정하여 마찬가지로 면제 보장을 해 주면 된다.

위 세 가지만 국가에서 해결해 주면 국회의원이 돈 쓸 일이 뭐가 있을까. 개인적으로 사용하는 용돈 정도는 최저 임금제 적용으로 받는 임금만으로도 얼마든지 가능하다고 본다.

도입 효과

국회의원의 연봉이 매우 높고 직장 개념으로 따져 봐도 안정적인 직장이 되는 터라, 그리고 특별히 일을 안 해도 충분히 먹고 살고 남을 만큼 급여를 주니 한번 배지를 달면 절대 떼려고 하지 않는다. 거기에다 온갖 특권이 주어져 있다. 그러니 어떤 이는 평생을 국회에서 놀고먹는 사람도 있는 것이다. 누구라고 이름을 밝히지는 않겠다.

이제 그런 사람들을 국회에서 퇴출시켜야 한다. 우선 돈줄을 끊어 놔야 국회의원직에 더 이상 욕심을 부리고 않고, 정말 나라와 국민들을 위해 봉사하는 마음으로 의원직에 도전할 사람들만 출마하게 될 것으로 본다.

현재 국회의원 숫자가 300명인데 그들이 민생을 위해 열심히 입법 활동 했다면 우리 국민들의 삶이 정말 이렇게까지 어려울까라는 생각을 해 봐야 한다.

여야를 떠나 특히 5선 이상 국회의원들은 2020년 총선에 불출마 선언을 해야 한다. 5선이면 20년인데, 나는 그 분들이 어떤 법률을 제정했는지 궁금하다. 특별히 기억나는 법률을 제정한 의원이, 나는 지금 이 시간까지도 누군지 알지 못 한다. 내가 알지 못한다는 것은 일반 국민들도 나와 비슷한 입장일 것이다. 어느 의원은 6선이다. 그 사람이 나는 무슨 입법 활동을 했는지 역시 모른다. 그 사람에게 시급 8천원 밖에 안 되는 데 국회의원 하시오라고 하면 정말 할까 몹시 궁금하다.

국회의원 고유의 업무인 입법 활동을 하지 않는 사람들은 고액 연봉이 욕심나서 국회의원직을 유지하려는 사람들이라고 봐야 한다. 그런 사람들이 더 이상 국회에 남아 있을 이유가 없다. 최저 임금을 적용하겠다고 하면 그들이 누군지 다 드러날 것이다. 먹고 사는 방편으로 국회의원 하고 있는 사람들이 아니라면 최저 임금 적용에 반대할 이유가 없을 것이다. 그런데 실제로 형편이 참 어려운 국회의원들도 있다. 그래서 이렇게 말을 하고 나니 내가 좋아하고 존경하는 몇몇 국회의원들의 얼굴이 자꾸 떠오르고 그 분들에게 진심으로 미안한 마음이 든다. 하지만 나의 이 주장의 취지를 잘 이해해 줄 것으로 믿는다.

2. 지역구를 없애자

　　지방자치제가 성공적으로 정착되고 실시되고 있는 이 좁은 대한민
국에서 국회의원들이 각자 자기의 지역구를 가지고 있는 것은 정말 시
대착오적이지 아닌가 하는 생각이 든다. 지역민들의 애로 사항이나 각
종 민원의 해결을 위해서는 과거 지자체가 실시되지 않았던 시기에는
맞았을지 모르겠지만, 지금은 각 지역에 시장, 군수, 시의원, 구의원,
구청장 등이 책임 행정을 실시하고 있고 광역의회, 기초의회나 지역 시
민사회 등도 행정에 대한 견제, 감시, 제안 등을 하고 있고, 그렇기 때
문에 굳이 국회의원들이 지역구 일을 일일이 챙길 필요가 없다. 물론
중앙에서 예산을 확보해 지역의 민원을 해결하는 일도 있겠으나, 그것
은 반드시 지역구를 가진 국회의원이 하지 않아도 얼마든지 해결할 수
있는 일이다.

　　지역구를 없애야 국회의원이 제대로 입법 활동에 매진할 수 있고,
각종 경조사나 지역 행사에 참석하여 불필요한 시간을 낭비하는 일이

없게 될 것이다. 국회의 기능이 입법인데, 4년 동안 지역구의 온갖 것을 다 챙기다보면 정작 입법 활동을 할 수 있는 시간은 그리 많지 않을 것이다.

지역구를 두게 되니, 당선 직후 1년 차에는 지역 주민들에게 인사하러 다니고, 임기 만료 1년을 앞두고는 차기 총선 당선을 위해서 여의도가 아닌 지역구에 거의 내려가 있는 경우가 많다. 그렇지 않아도 지역구를 둔 국회의원들은 주말마다 내려와 지역민들과 온갖 만남을 갖고 자기의 인지도 유지와 차기를 위한 유권자 관리를 하고 있지 않은가. 그렇게 되니 국회의원직이 입법 활동을 위한 의원직 유지인지, 의원 배지 유지를 위한 의원직 수행인지 헷갈리게 된다. 국회의원 고유의 역할이 실종되었다고 해도 과언이 아니다. 확인해 보지는 않았지만, 20대 국회의원들이 얼마나 많은 입법 활동을 했는지 안 봐도 눈에 훤하다.

그렇다면 지역구를 없애면 국회의원을 어떻게 뽑느냐고 물을 수 있다. 나는 100% 정당에 투표하는 선거제를 도입해야 한다고 생각한다. 총선이 다가오면 자당 입후보자를 공개적으로 모집하고 그 모집에서 엄선된 인사를 국민들 앞에 공개하고 그 사람들이 당선될 수 있게 선거운동을 하면 된다. 당에서 내세운 후보들 중에 자질이 부족하거나 국민의 지탄을 받는 후보가 포함되어있을 경우 국민들은 그 당을 지지하지 않을 것이고, 거의 대다수 후보자들이 특별히 문제없이 자기가 맡은 분야에서 공익을 위해 활동해 온 사람들이라면 국민들을 그 당을 지지하게 될 것이다.

지역구를 없애는 경우 각 정당은 자체적으로 지역 담당제를 두면 된다. 그를 통해 정부 차원에서 필요한 예산 확보 등에 지역 담당 의원이 지역의 의견을 수렴하여 도움을 주면 되는 것이다. 지역 담당을 맡은 의원은 2년 동안 자기가 맡은 지역을 다음 후임자에게 지역 문제를 인수인계하는 방식으로 지역과 연결 고리를 가지면 된다. 이렇게 할 경우 지역구민들 행사 참석이나 각종 경조사에 참석하기 위한 일에 신경 쓰지 않아도 된다. 당연히 금전 지출도 필요 없게 된다. 이것을 나는 한국식 정당명부제라고 부르고 싶다.

3. 임기를 3선으로 제한하자

　주민 선출직 공무원 중에 지방자치단체장은 3선으로 제한되어 있다. 그래서 정말 능력이 뛰어나 주민들이 일을 더 시키고 싶어도 시키지 못한 경우도 있다. 그런데 같은 주민 선출직임에도 불구하고 국회의원들에게는 임기 제한이 없다. 이 때문에 어떤 사람은 24년, 32년을 평생 국회의원으로 사는 사람도 있다. 안정적인 고연봉 직장에다 온갖 특혜가 특정인에게 평생 제공되는 것이다. 이건 정말 말도 안 되는 일이다. 어떻게 한 사람이 20년 이상 국회의원을 하고 있나. 솔직히 말해서 그렇게 오랫동안 의원직을 유지한 사람치곤 정말 제대로 일 한 국회의원이 얼마나 되는지 궁금하다. 내가 당장 특별히 떠오르는 사람이 없는 것을 보니 그런 국회의원은 아마도 없는 듯하다.

　이제 국회의원 임기도 제한해 보자. 적어도 지자체장들처럼 3선제를 국회의원직에도 도입을 하자. 그렇게 해서 정치인을 꿈꾸는 젊은 사람들이 의원직에 도전할 수 있도록 뭔가 새로운 기회를 제공해 주자.

　내 생각엔 국회의원직에 도전하기에는 30대 말이나 40대 초반 나이 때가 가장 좋을 것 같다. 내 나이도 국회 초선에 도전하는 나이로서는 많은 편이다. 올해 55세이니 젊은 나이는 아니지 않은가.

국회의원 임기제를 둠으로서 국민들에게 돌아가는 이익이 좀 있을 것이다. 우선 국민들 입에서 군이 세대교체 요구를 말할 필요도 없겠고, 그리고 국회의원 역시 계속 공천을 받기 위해 당 지도부의 눈치나 살피고 무사안일하게 의정 활동을 하는 일은 현저히 줄어들 것이다.

소위 386세대들이 국회의원에 당선된 후 초심을 거의 잃은 것은 차기 공천을 받기 위해 소신을 마음껏 펼치지 못한 탓도 있을 것이다. 아마도 국회의원직이란 꿀단지에 한번 빠지면 헤어 나오기가 쉽지 않다는 말이 사실일 것이다. 임기제는 이런 모든 것을 다 해결해 주는 특효약이 될 것이다. 따지고 보면 3선도 짧지 않은 임기이다. 12년이지 않은가. 주민들의 대표로 한 사람이 10년 이상을 한다는 건 사실은 상식에도 반한다고 할 것이다. 정치개혁, 국회개혁은 임기제를 두는 것부터 시작해야 한다.

4. '4 · 27판문점선언' 뒷받침 못하는
국회의 무관심과 무능

2018년 4월, 한반도는 물론이고 세계를 놀라게 한 남북 두 정상의 위대한 여정을 우리는 목도 하였다. 공식 정상 회담과는 별도로 도보다리에서 벌어진 두 정상의 '밀담' 장면은 오래도록 우리의 기억에서 잊혀지지 않을 것이다. 그 자리는 미국의 도청도 안 되고 입 모양만으로는 두 사람이 무슨 이야기를 했는지 알 수가 없는 기가 막힌 자리였다. 짐작을 해 보면 두 정상이 남북 관계와 미국 문제 등을 놓고 허심탄회하게 이야기를 주고받았을 것이다. 언제가 통일이 되면 도로다리 회담의 뒷이야기를 들을 수 있을 것이다.

나는 TV에 비치는 그런 광경들을 보면서 너무나 감격하여 속으로 한없이 눈물을 흘렸다. 이제 정말 우리에게 통일이 현실적인 문제로 다가오려는가 보다. 이 얼마나 애타고 목매이게 기다렸던 일인가!

판문점 회담이 위대한 것은 그런 모습도 모습이지만, 두 정상 간의 회담 합의문이다. '4 · 27 판문점선언'으로 불리는 이 합의문은 2000년 6.15 공동선언이나 2007년의 10.4 선언보다 진일보한 내용으로 가득

차 있다. 다음은 그 전문이다.

한반도의 평화와 번영, 통일을 위한 판문점 선언

대한민국 문재인 대통령과 조선민주주의인민공화국 김정은 국무위원장은 평화와 번영, 통일을 염원하는 온 겨레의 한결같은 지향을 담아 한반도에서 역사적인 전환이 일어나고 있는 뜻깊은 시기에 2018년 4월 27일 판문점 평화의 집에서 남북정상회담을 진행하였다.

양 정상은 한반도에 더 이상 전쟁은 없을 것이며 새로운 평화의 시대가 열리었음을 8천만 우리 겨레와 전 세계에 엄숙히 천명하였다. 양 정상은 냉전의 산물인 오랜 분단과 대결을 하루 빨리 종식시키고 민족적 화해와 평화번영의 새로운 시대를 과감하게 일어나가며 남북관계를 보다 적극적으로 개선하고 발전시켜 나가야 한다는 확고한 의지를 담아 역사의 땅 판문점에서 다음과 같이 선언하였다.

1. 남과 북은 남북 관계의 전면적이며 획기적인 개선과 발전을 이룩함으로써 끊어진 민족의 혈맥을 잇고 공동번영과 자주통일의 미래를 앞당겨 나갈 것이다. 남북관계를 개선하고 발전시키는 것은 온 겨레의 한결같은 소망이며 더 이상 미룰 수 없는 시대의 절박한 요구이다.

   ① 남과 북은 우리 민족의 운명은 우리 스스로 결정한다는 민족 자주의 원칙을 확인하였으며 이미 채택된 남북 선언들을 철저히 이

행함으로 써 관계 개선과 발전의 전환적 국면을 열어나가기로 하였다.

② 남과 북은 고위급 회담을 비롯한 각 분야의 대화와 협상을 빠른 시일 안에 개최하여 정상회담에서 합의된 문제들을 실천하기 위한 적극적인 대책을 세워나가기로 하였다.

③ 남과 북은 당국 간 협의를 긴밀히 하고 민간교류와 협력을 원만히 보장하기 위하여 쌍방 당국자가 상주하는 남북공동연락사무소를 개성지역에 설치하기로 하였다.

④ 남과 북은 민족적 화해와 단합의 분위기를 고조시켜 나가기 위하여 각계각층의 다방면적인 협력과 교류 왕래와 접촉을 활성화하기로 하였다. 안으로는 6.15를 비롯하여 남과 북에 다 같이 의의가 있는 날들을 계기로 당국과 국회, 정당, 지방자치단체, 민간단체 등 각계각층이 참가하는 민족공동행사를 적극 추진하여 화해와 협력의 분위기를 고조시키며, 밖으로는 2018년 아시아경기대회를 비롯한 국제경기들에 공동으로 진출하여 민족의 슬기와 재능, 단합된 모습을 전 세계에 과시하기로 하였다.

⑤ 남과 북은 민족 분단으로 발생된 인도적 문제를 시급히 해결하기 위하여 노력하며, 남북 적십자회담을 개최하여 이산가족·친척상봉을 비롯한 제반 문제들을 협의 해결해 나가기로 하였다. 당면하여 오는 8.15를 계기로 이산가족·친척 상봉을 진행하기로 하였다.

⑥ 남과 북은 민족경제의 균형적 발전과 공동번영을 이룩하기 위하

여 10.4선언에서 합의된 사업들을 적극 추진해 나가며 1차적으로 동해선 및 경의선 철도와 도로들을 연결하고 현대화하여 활용하기 위한 실천적 대책들을 취해나가기로 하였다.

2. 남과 북은 한반도에서 첨예한 군사적 긴장상태를 완화하고 전쟁 위험을 실질적으로 해소하기 위하여 공동으로 노력해 나갈 것이다.

① 남과 북은 지상과 해상, 공중을 비롯한 모든 공간에서 군사적 긴장과 충돌의 근원으로 되는 상대방에 대한 일체의 적대행위를 전면 중지하기로 하였다. 당면하여 5월 1일부터 군사분계선 일대에서 확성기 방송과 전단 살포를 비롯한 모든 적대 행위들을 중지하고 그 수단을 철폐하며 앞으로 비무장지대를 실질적인 평화지대로 만들어 나가기로 하였다.

② 남과 북은 서해 북방한계선 일대를 평화수역으로 만들어 우발적인 군사적 충돌을 방지하고 안전한 어로 활동을 보장하기 위한 실제적인 대책을 세워나가기로 하였다.

③ 남과 북은 상호협력과 교류, 왕래와 접촉이 활성화 되는 데 따른 여러 가지 군사적 보장대책을 취하기로 하였다. 남과 북은 쌍방 사이에 제기되는 군사적 문제를 지체 없이 협의 해결하기 위하여 국방부장관회담을 비롯한 군사당국자회담을 자주개최하며 5월 중에 먼저 장성급 군사회담을 열기로 하였다.

3. 남과 북은 한반도의 항구적이며 공고한 평화체제 구축을 위하여 적

극 협력해 나갈 것이다.

한반도에서 비정상적인 현재의 정전상태를 종식시키고 확고한 평화체제를 수립하는 것은 더 이상 미룰 수 없는 역사적 과제이다.

① 남과 북은 그 어떤 형태의 무력도 서로 사용하지 않을 때 대한 불가침 합의를 재확인하고 엄격히 준수해 나가기로 하였다.

② 남과 북은 군사적 긴장이 해소되고 서로의 군사적 신뢰가 실질적으로 구축되는 데 따라 단계적으로 군축을 실현해 나가기로 하였다.

③ 남과 북은 정전협정체결 65년이 되는 올해에 종전을 선언하고 정전협정을 평화협정으로 전환하며 항구적이고 공고한 평화체제 구축을 위한 남·북·미 3자 또는 남·북·미·중 4자회담 개최를 적극 추진해 나가기로 하였다.

④ 남과 북은 완전한 비핵화를 통해 핵 없는 한반도를 실현한다는 공동의 목표를 확인하였다.

남과 북은 북측이 취하고 있는 주동적인 조치들이 한반도 비핵화를 위해 대단히 의의 있고 중대한 조치라는데 인식을 같이 하고 앞으로 각기 자기의 책임과 역할을 다하기로 하였다.

남과 북은 한반도 비핵화를 위한 국제사회의 지지와 협력을 위해 적극 노력하기로 하였다.

양 정상은 정기적인 회담과 직통전화를 통하여 민족의 중대사를 수시로 진지하게 논의하고 신뢰를 굳건히 하며, 남북관계의 지속적인 발전과 한반도의 평화와 번영, 통일을 향한 좋은 흐름을 더욱 확대해 나가기 위하여 함께 노력하기로 하였다. 당면하여 문재인 대통령은 올해 가을 평양을 방문하기로 하였다.

위 선언문에서 내가 가장 중요하게 본 것은 2조 ①항의 '남과 북은 지상과 해상, 공중을 비롯한 모든 공간에서 군사적 긴장과 충돌의 근원으로 되는 상대방에 대한 일체의 적대행위를 전면 중지하기로 하였다. 당면하여 5월 1일부터 군사분계선 일대에서 확성기 방송과 전단 살포를 비롯한 모든 적대 행위들을 중지하고 그 수단을 철폐하며 앞으로 비무장지대를 실질적인 평화지대로 만들어 나가기로 하였다'는 대목이다. 이것은 사실상 종전 선언이고 평화협정 체결 선언이라고 해도 과언이 아니다. 이런 합의문은 지난 양대 선언에서도 없었던 표현이다. 선언문의 3조는 2조의 그 합의를 뒷받침하기 위해서 군축 실행과 평화 협정 체결을 추진한다는 것을 못 박고 있다.

그런데 2019년 11월 현재, 이 위대한 합의문은 어떤 상태에 놓여 있는가. 그냥 종이 조각으로만 남아 있고 아무런 역할도 하지 못하고 있다. 누구 때문인가? 하노이 회담을 결렬시킨 트럼프 때문인가? 아니면 남북 두 정상? 모두의 책임이 가볍지 않다. 그러나 미국은 미국의 국익을 위해 하노이 회담을 결렬시켰고, 때문에 그들은 그들의 입장에서는 그럴 만한 이유가 있었던 것이다. 물론 미국의 책임이 크다는 것은 부인할 수 없다.

그러면 우리는 뭔가? 특히 판문점 선언이라는 위대한 금자탑을 세워놓고 그저 바라만 보면서 무너지기를 기다리는 건가? 나는 적어도 대한민국 국회가 남북 두 정상이 이루어 놓은 그런 훌륭한 합의를 뒷받침하기 위해 철저하게 노력을 했어야 한다고 생각한다.

남북 최고지도가 더 이상 하늘, 땅, 바다에서 군사적 적대행위를 하지 않기로 했으면 국회에서 평화협정 체결을 촉구하는 결의문이나 관련되는 입법 활동을 했어야 했다. 자유한국당이라는 사대주의 세력들이 문제라면 동의하는 정당만이라도 뜻을 모아서 국회 내에 평화협정 체결 추진 특별위원회 같은 것이라도 구성을 했어야 했다. 당사자인 분단된 나라의 최고 지도자들이 합의한 내용을 분단국 국회에서 아무런 뒷받침을 해 주지 않으니, 나라 밖의 트럼프 같은 사람이나 미국 정책 입안자들 입장에서는 남북이 판문점 합의 같은 거 백번 천 번 해봐야 눈 하나 깜짝하지 않을 것이다. 한국인들은 아무런 관심이 없고 그 때만 눈요기 꺼리로 여기는가 보다 치부해 버릴 것이다. 그러면서 미국의 '승인'이 없이는 역시 남북 자기들끼리는 어떠한 관계도 진척이 안 될 것이라는 오만한 생각에 사로 잡혀 있을 것이다. 미국은 속으로 한국이라는 나라는 손에 지어줘도 못 먹는 이상한 사람들이라고 생각할 것이다. 속으로 비웃고 있을 것이다. 그들 개개인도 눈이 있고 생각이 있으니까 말이다.

대한민국 정치의 상수(常隨)는 언제나 남북 관계다. 이것을 누가 부정하겠는가. 그리고 꼬여 있는 남북 관계를 풀려는 최종 목적은 바로 통일이다. 그렇기 때문에 우리는 세계 어느 나라에도 없는 특별한 정부 기구가 있지 않은가. 바로 통일부다. 정부 기구에 통일부라는 조직까지 별도로 두고 남북관계를 풀어 통일하려는 나라에서 어떻게 판문점 선언을 방치하고 있는지 나는 정말 이해를 할 수 없다.

　정부가 미국에 요구할 수 있는 명분을 만들어 주어야 한다. 국회의원들이 집단으로 평화협정 체결을 위해 한시도 가만있지 않고 목소리를 높이고 국회 내 기구를 만들고, 미국을 방문하여 미국 정부 관계자들과 의회 관계자들을 만나서 한반도 평화 통일의 당위성을 설명하고 설득하고 그런 일을 끈질기게 하다 보면 미국도 언젠가는 한반도를 분단 상태로 계속 유지하려는 계획을 포기할 것이다. 지금까지 그 많은 국회의원들 중에 그런 노력을 한 사람이 단 한 명이라도 있었는지 나는 기억하지 못한다. 국회가 대통령을 뒷받침해 주지 않는데 대통령이 혼자 힘으로 할 수 있는 일이 뭐가 있겠는가. 특히나 남북문제에서는 더더욱 그렇다. 그래서 국회의원들의 역할이 정말 중요하다. 한 번 더 말하지만 국회가 대통령과 정부에 힘을 힘을 실어주어야 미국에 맞서 우리의 목소리도 당당하게 낼 수 있을 것이다. 대통령 혼자서 하는 일은 명백히 한계가 있기 때문이다.

　지금이라도 늦지 않았다. 국회 내 평화협정 체결 추진 특별위원회를 구성하자. 금강산관광추진본부도 국회 안에 만들어야 한다. 알려진 대로 금강산 관광은 유엔의 대북제제에도 해당되지 않는다. 특히 올해 초 북측 김정은 위원장은 금강산 관광에 따른 금전적 대가를 요구하지 않겠다고 신년사에서 밝히기도 했다. 국회가 이런 문제에 호응하면 청와대도 미국에 할 말이 생기는 것이다. 평화협정 체결과 금강산 관광을 실시하라고 촉구하는데 청와대가 그런 의견을 못 본체 할 수 없다고 트럼프에게 대응할 명분을 얻게 되는 것이다. 최소한 우리 국회가 이런 정도는 해야 북쪽에서도 우리의 진정성을 알아줄 것이다.

지금 남북관계가 과거 정권 때처럼 얼어붙어 있는 것은 청와대의 소극적인 자세도 문제이지만, 국회가 청와대와 정부에 대한 뒷받침, 즉 법적 제도적으로 할 수 있는 아무런 역할도 지원해 주지 않았기 때문이다. 이런 국회가 과연 남북 관계에서만 이렇게 무관심하고 게으를까. 20대 국회가 최악이라는 말을 듣고 있지만, 최소한 이런 문제에서만큼이라도 추진해서 마지막 밥값이라도 해야 한다. 그럴 용기와 의지가 없는 사람들은 시대의 흐름을 따라가지 못하는 사람들이다. 그런 사람들은 더 이상 국회에 몸담지 말아야 한다.

국회는 싸우는 곳이다. 물론 주먹으로 치고받는 싸움을 말하는 것이 아니다. 정책으로 싸우고 입법 활동으로 불의와 부당함, 불공정과 부도덕, 비민주, 반통일, 반외세사대주의와의 투쟁을 하는 공간이어야 한다. 어둠에 쌓인 남북 관계를 밝히는 빛, 사회적 부패를 막는 소금의 역할, 즉 세상의 빛과 소금이 되자는 말은 어느 교회 벽에 걸려 있는 액자 속의 말만이 아니라 대한민국 국회가 반드시 명심해야 할 말이다.

IV

도전과
참여

1. 평양우리민족햇발전소 건립 추진

나는 인도적 대북 협력 사업을 하고 있는 민간단체가 여태껏 한 번도 추진해 보지 않았던 신재생에너지 지원 사업(햇빛발전소)을 처음으로 규모 있게 기획해서 북쪽과 건립에 관한 합의서까지 체결해 낸 경험이 있다. 이명박 정권이 벌인 천안함 침몰원인 조작사건으로 더 이상 추진이 안 되었지만, 내가 가장 아쉽게 생각하는 점이 바로 이 사업이다. 이제라도 다시 시작을 해 보고 싶다.

여기에서는 내가 최초로 아이디어를 내고 부산우리민족서로돕기운동이 추진했던 '평양우리민족햇빛발전소'에 추진과 관련된 내용을 소개해 보고자 한다.

북한 에너지난의 실태[1]

1990년대 초부터 시작된 북한의 에너지난은 점점 더 심각해져, 2005년 기준 남한의 1차 에너지 총 소비량이 228,622천 TOE인데 반해 북한은 17,127천 TOE에 그쳤다. 1차 에너지 총소비량으로 보면 북

부산경남 우리민족서로돕기운동 앞

우리는 협력사업을 위하여 오세정,
구자상, 리향순, 리인수, 한경민,
김대오, 박영현, 주병호, 홍상영,
하종곤, 조경기 선생들이 편리한 시기에
평양을 방문하는데 동의하며 체류기간
편의를 보장할것입니다.

민   회
주체 98   4 월 2 일

---

1. 여기에 나온 글은 당시 햇빛발전소 후원회 때의 자료를 토대로 재정리한 것이다. 2019년 지금에는
   딱 들어맞지는 않을 수 있다. 그러나 그때나 지금이나 북한의 에너지난 실태는 크게 개선된 것이
   없다고 보아 자료 내용으로는 무리가 없을 것이다.

한은 남한의 13.3분의 1 수준이며 1인당 소비량으로 보면 6.3분의 1 수준에 불과하다. 같은 기간 북한 경제는 1990년부터 1998년까지 마이너

합 의 서

남측 부산경남우리민족서로돕기운동(이하 <가>측)과 북측 민족화해협의회(이하 <나>측)는 6.15 공동선언과 10.4 선언의 기본정신에 기초하여 다음과 같이 협력사업을 진행하기로 한다.

1. 양측은 재생에너지의 사용이 민족 공동의 발전에 기여한다는데 인식을 같이 하고 협력하기로 한다.
2. 양측은 우선 2009년도에 시범사업으로 평양지역에 500KW 규모의 태양광발전소를 건설하여 운영하기로 한다. 발전소 건설을 진행하기 위해 <가>측은 건설자재와 설비를 제공하고 기술이전사업을 진행하며 <나>측은 부지와 노력, 관리를 담당한다.
3. 양측은 재생에너지 이용의 중요성을 깊이 인식하고 이 사업을 보다 확대해 나가기로 한다.
   ① 양측은 2009년도 태양광발전소건설에 기초하여 매해 적절한 규모의 발전소 건설을 추진한다.
   ② <나>측은 이 사업의 원활한 추진을 위하여 <가>측의 대표단과 기술 실무진의 방문을 보장하며 기타 사업과정에서 제기되는 세부적인 문제들에 대해서는 협의를 통하여 해결하기로 한다.

4. 양측은 발전소 건설이 끝난 후 준공식을 한다.

부산경남우리민족서로돕기운동을   민족화해협의회
대표하여   위임에 따라

2009년 8월 27일

스 성장을 거듭해 왔다. 1999년 6.2%의 성장 이후 2004년도 2.2.% 성장을 거뒀음에도 불구하고 현재 북한의 경제 상황은 1990년도의 60% 수준에 머물고 있다.

북한의 1차 에너지 총 소비량은 우리나라 경상남도 지방에서 사용하는 에너지 소비량 수준이다. 2004년 제주도의 발전량은 277억 kWh인데, 북한의 발전량은 이에 못 미치는 215억 kWh다. 산업 생산에 필요한 전력이 부족해 생산을 멈춘 공장이 속출하고, 평양 시내 12차선 대로를 다니는 차는 손에 꼽을 정도이다. 북한 주민들은 영하 20도의 혹한의 추위에도 난방 연료를 배급받지 못하고 있으며, 심지어 밥을 지을 연료가 없어 한꺼번에 밥을 해서 며칠씩 먹고 있는 실정이었다. 물론 2019년 지금은 그때보다 상당히 나아진 것은 사실이다.

2004년 남한의 1인당 전력 소비량은 7,391kWh로 세계 평균 1인당 전력소비인 2,516kWh 보다 약 3배나 높은 반면, 북한은 827kWh로 세계 평균의 3분의 1에 불과(IEA, 2006) 했고, 현재 북한의 에너지 사정은 1965년 남한과 비슷하고, 석탄과 나무, 농작물 찌꺼기 등이 전체 에너지원의 3분의 1을 차지할 정도로 열악하다.

북한 에너지난의 원인으로 ①자력갱생 원칙에 입각한 폐쇄적 에너지 정책에 의한 비효율적인 자원배분 ②사회주의권 동맹들의 세력 약화로 인한 에너지원 지원과 설비기술 지원 감소 ③거듭된 홍수와 가뭄 등 자연재해로 인한 탄광, 발전설비 등의 피해 ④석탄과 수력 위주의 경직된 수급체제 ⑤경제난으로 에너지 수입 재원 부족 ⑥정치적 요인으로 국제 자본 조달 불가 등이다.

1990년대 들어 사회주의 동맹국들의 붕괴와 구 소련과 중국의 변화는 북한에 큰 영향을 주었다. 북한은 구소련과 중국에 경제원조와 기술지원, 구상무역, 에너지 지원에 있어 많은 도움을 받아왔다.

경제개발 초기 중국과 구소련의 지원으로 건설한 발전시설 등 에너지 기반시설이 노후화되고 설비 부품공급이 제대로 이루어지지 않아 에너지 설비 가동률도 크게 떨어졌다. 에너지 수급 문제는 식량생산과 경제 발전의 어려움이라는 문제로 확대된다.

사회주의권 붕괴 이후 북한은 석유, 전력, 석탄 등 3대 에너지 부문이 대략 50% 감소 현상을 겪었다. 이로 인해 총체적 에너지난을 가져왔고 운송, 교통의 산업 부문, 농업, 환경 등 제반 경제영역과 생활영역에 부정적 파장을 끼치게 되었다. 그리고 에너지난은 그 자체만으로 국가의 중차대한 문제이면서 동시에 식량난, 환경문제 등과 복잡하게 악순환을 그리면서 전개된다는 점이 북한 에너지난의 특징이라고 할 수 있겠다.

1990년까지는 풍부한 석탄과 수력 자원을 보유한 북한은 양질의 무연탄 대량 생산과 대규모 우수 수력 발전시설의 운영으로 인해 국내 에너지 수요의 88%를 자급자족하는 한편, 석유도 소련을 위시한 사회주의권으로부터 국제우호가격에 수입하여 에너지 수급에 큰 문제가 없는 나라였다. 1990년 통계를 보면 북한의 1인당 발전량은 약 2,500KWh로 남한과 비슷한 수준이었고, 같은 해 1인당 에너지 사용량도 2.4톤

(석탄 상당)으로서 중국의 두 배, 일본의 2/3 수준에 이르렀다. 물론 자력갱생을 지나치게 강조한 에너지 정책의 경직성, 에너지 시스템의 비효율성, 석유의 100% 대외 의존, 전력 과소비 구조, 에너지 인프라의 노후화 및 개보수의 미비 등 취약점이 내재해 있었던 것은 사실이다. 이런 취약성이 구체적으로 에너지난으로 표출된 데는 소련의 해체에 따른 1991년의 오일 쇼크가 결정적으로 작용하였다.

소련으로부터 구상무역 결제방법에 의해 국제시장가격의 절반 가격으로 석유를 수입했던 북한은 소련이 해체됨에 따라 1991년부터 정상 국제가격으로 경화결제방법에 의해 석유를 수입해야 했기 때문에 석유 공급이 격감하게 되었고, 본격적인 오일쇼크를 겪게 된 것이다.

북한의 오일쇼크는 북한 경제에 유달리 큰 영향을 미쳤는데, 그것은 북한의 석유소비가 다른 형태의 에너지로 대체할 수 없는 운송 및 교통과 생산 부문에 집중되었기 때문이다. 이와 함께 북한 경제구조는 1970년대부터 지속적으로 석유 수요가 증대될 수밖에 없는 방향으로 변화를 겪어왔다.

1973년부터 1992년까지 20년 기간 동안 석유공급의 연평균 증가율은 8.10%에 달해 석탄 공급 증가율(2.49%), 수력공급 증가율(5.16%), 그리고 에너지 총공급 증가율(3.16%)을 크게 웃돌았고, 북한 전체 에너지원에서 석유가 차지하는 비중이 1972년 3.2%에서 1992년에는 8.2%로 급증했다. 북한은 석유를 전량 수입에 의존하고 있었기 때문에 당연히 에너지의 수입 의존도도 1970년대에 비해 1990년대 오면 늘어나게 된다. 4%에 불과하던 1972년 에너지 수입 의존도가 1989년에는 12% 안팎으로 급증했다. 이런 변화 속에서 1991년의 사태는 북한 경제에 큰 부정적 파급을 일으킬 수밖에 없었던 것이다.

소련의 해체는 석유뿐만 아니라 '전력난'을 야기했다. 소련 기술에 의존해 왔던 북한 에너지 인프라의 유지와 개보수에 부정적 영향을 끼쳤기 때문이다. 설비의 노후와 1차 에너지원의 부족에 따른 발전소 가동률의 저하와 함께 북한의 송배전 손실률이 많게는 50%까지로 추정되었다.

1990년대 중반에 발생한 일련의 자연 재해(대홍수와 가뭄)가 북한 에너지난의 주된 원인은 아니지만 이미 취약성을 드러내기 시작한 북한의 에너지 시스템에 치명타를 가한 요인이었다고 봐야 할 것이다. 1995-96년 홍수는 농작물과 농촌 생태계를 파괴시켰고, 도로와 철도의 훼손과 더불어 농촌지역의 송배전판과 송전선을 파괴시켰다. 즉 전력소비 인프라를 망가뜨리는 구실을 한 것인데, 많은 탄광이 범람했고, 석탄 채굴에 지장을 초래했다. 홍수는 토양유실을 야기시켰는데, 유실된 토사가 하천이나 댐으로 흘러들어가 수자원을 감소시키고, 발전설비를 훼손함으로써 실질 수력발전을 감소시키는 데 악영향을 끼쳤다.

1990년대 북한의 에너지난을 가중시키는 데 적잖은 구실을 한 자연재해는 환경파괴와 깊은 연관성을 갖고 있다. 식량난은 무분별한 산지개발과 식물과 나물의 채취를 불러왔다. 산림 생태계가 파괴되면 집중호우나 장마를 견디지 못하고 홍수를 일으키게 된다. 홍수는 토양유실

등 또 다른 환경 문제를 유발시키면서 식량난으로 이어지고, 자연 환경의 훼손은 더욱 심화된다. 즉 에너지난과 환경 문제가 악순환을 그리면서 경제난, 특히 식량난이 구조적 문제로 지속하게 되는 것이다.

북한에 있어 석탄은 1차 에너지 총 공급의 82%, 최종 에너지 소비의 74%를 차지하는 가장 중요한 에너지이다. 발전도 석탄이 40% 가량을 담당하고 기간산업인 철강생산에도 주 에너지로 소비되고 있다. 이렇게 중요한 석탄 역시 1990년대 들어 그 생산과 공급이 격감하였다. 그리고 석탄 생산은 북한 경제의 침체가 심화되는 1980년대 후반부터 그 증가율이 폭락하였다.

1980년대 후반 북한 석탄 생산 증가율이 급감하게 된 이유와 관련해서 전문가들은 장기 채굴에 따른 탄광 갱도의 심부화와 경기침체로 인한 석탄 생산 정체, 그리고 석유와 같은 에너지원에 의한 대체 등을 꼽고 있다. 또한 1990년대 접어들어 홍수로 인한 탄광의 범람 등도 새로운 요인으로 작용했다. 이것은 1990년대 북한의 새로운 환경 문제를 유발시키는 한 요인으로 작용했다. 홍수로 인한 폐광과 가동 중인 탄광의 범람 때문에 하천과 연안 해역의 오염이 새로운 환경 문제로 등장한 것이다. 여기서도 에너지 문제와 환경문제의 연관성을 확인하게 된다.

1990년대 석탄 생산과 공급의 급감은 전력난과 악순환을 그리게 되었다. 북한은 산업부문이나 화물 수송부문에서 '자력갱생'의 기조에 따라 석유 소비를 최소화하기 위해 전력에 의존하게 되는 '전력 과소비 구조'를 만들어냈다. 또한 수력발전에 대한 지나친 의존을 줄이기 위해 1970년대 대대적인 화력발전소 건설을 추진하였다. 모두 북한산 석탄을 일차 원료로 하는 화전(火電)이었다.

석탄 생산과 전력이 맞물려 있는 구조이기 때문에 전력난이 빚어지자 석탄생산에 차질이 있을 수밖에 없었다. 또한 채굴과 석탄의 수송도 전기를 사용하는 기관차의 몫이기 때문에 전력난을 겪는 와중에 비록 석탄을 캤다 하더라도 수송이 원활하지 못했다. 전력이 부족해서 석탄 조달이 어려워지고, 석탄 조달이 안 되니 발전이 안 되는 악순환을 반복하게 된 것이다.

북한의 에너지 공급 문제는 현재 북한의 산업가동률을 30% 이내로 떨어뜨리게 한 직접적인 원인으로서 최근에는 오히려 식량난보다도 더 심각한 문제로 대두되고 있다. 북한의 공업구조가 에너지 다소비형인 중화학공업 중심으로 구성되어 있기 때문에 이러한 에너지의 급격한 감소는 당연히 북한경제를 단시일 내에 빈곤의 함정으로 유도할 수밖에 없었을 것이다.

북한은 철도 중심의 운송시스템을 갖추고 있다. 2005년 통계로 남한의 철도 연장은 3,392km이고, 북한은 5,235km, 전철 총연장도 남한이 1,668.9km인데 반해 북한은 무려 4,211km, 철도차량 보유 대수도 기관차, 객차, 화차를 총합해서 북한이 21,881량으로 18,320량인 남한 보다 더 많다. 북한의 철도노선은 10개의 기간노선과 90여개의 지선으로 구성되어 있다. 그 가운데 100km가 넘는 것이 14개 노선이며, 30km 미만 노선이 33개. 철도 역시 자주 정전되고 전압이 보장되지 않아 열차 운행 시 한 정거장 가면 뒤 전기를 차단하고 앞 전기를 투입하는 식으로 전압을 겨우 겨우 끌어내고 있을 정도이다.

북한은 에너지 수급에 있어 원유가 차지하는 비중이 적기 때문에 자연히 수송수단에 있어서도 휘발유와 디젤유를 연료로 하는 승용차보다는 전력 자원을 동력으로 이용하는 여객수송수단에 의존. 평양과 신의주, 원산, 만포, 사리원, 남포 등 주요 도시 간에 시외버스가 운행되고 있지만 유류난으로 운행 횟수는 많지 않다. 자전거는 아주 오래된 북한 주민들의 교통 수단으로 1999년부터 평양시내에 자전거 전용도로가 신설되기도 했다.

북한 주민들은 생존을 위한 예를 들면, 취사, 난방, 조명, 온수와 같은 기본적인 에너지 부족에 시달리고 있다. 북향민들의 증언에 따르면 북한의 에너지난은 밥을 지을 연료조차 부족한 상태로 한꺼번에 밥을 해서 여러 날을 먹는 정도이다. 비싼 석탄을 구할 수 없는 서민들은 옥수숫대나 볏짚을 태워 밥을 지어 먹고 있다. 밥 지을 연료가 부족한 상황이라 난방연료 부족은 더욱 심각. 북한은 남한에 비해 동절기가 길고, 영하 20도 이하로 내려가는 혹한이라 난방문제는 생존과 직결된다. 1990년대 이전까지는 석탄, 나무, 연탄과 같은 난방연료를 정부가 배급해줬지만 에너지난이 지속되면서 정부가 제공하는 연료의 양이 줄었고, 어떤 지역에는 배급자체가 끊겼다. 주민들 스스로 난방 연료를 조달해야 하는데 북한의 야산이 식량증산정책과 화목용 벌목으로 인해 민둥산이 되면서 땔감을 구하기도 쉽지 않다.

최근 북한당국이 산림녹화를 위해 일체의 벌목을 금지함에 따라 땔감 사정은 더욱 심각해졌고, 위반할 시에는 큰 징계를 받는다. 주민들은 인근 탄광에 불법으로 굴을 파서 석탄을 훔쳐서 난방용으로 활용하기도 한다. 사굴이라 불리는 불법 갱도에서 경험이 부족한 주민들이 무너지는 굴에 파묻혀 목숨을 잃는 경우도 빈번하게 발생했다.

2006년 11월 15일 인민보안성은 주민들의 에너지 도둑질을 막기 위해 "전력 관련 포고문"을 내렸다. 주민들이 전신주의 전기를 몰래 사용하는 경우가 발생하면서 2006년 이후부터 지역의 보안서에서 단속을 시작했으며 적발될 경우 벌금을 물리거나 심한 경우 그 지역에서 추방을 하기도 한다. 당국은 가정용 에너지로 메탄가스 사용을 장려하고, 대규모 가축 농장이 있는 경우는 가축 분뇨를 발효해 열과 전기를 공급하는 방법을 활용한다. 가구당 제공되는 조명용 전기 사용도 주거규모에 따라 제한된다. 전력 공급 시간 제한. 특히 보육시설과 병원과 같은 에너지 공급이 기본적으로 보장되어야 할 지역에서도 충분한 전기를 공급받지 못하고 있다. 북한 주민들은 식량난과 연료난이라는 이중고에 시달리고 있다. 북한 경제를 정상적으로 회복하고 주민들의 기본적인 삶을 보장할 수 있도록 하기 위해 가장 먼저 해결해야 할 과제가 바로 에너지 문제이다.

에너지 지원 사업의 의미

1998년 우리민족서로돕기운동에서 북한의 영유아와 산모를 위해 젖염소 목장을 평양시 상원군에 지원한바 있다. 우수한 품종의 젖염소와 초지조성 자재, 착유시설 등 일체를 지원하였으나 현지의 전력 사정으로 인해 자동 착유 설비를 가동하지 못하는 안타까운 상황이 벌어지고 말았다.

경기도에서 북한에 콩기름 공장 지원을 위해 북한과 협의 중이었는데, 전력 사정으로 인해 지역선정문제로 난항을 겪고 있다. 경기도에서 제안한 지역이 북한의 전력공급이 어렵다면 디젤 발전기의 지원을 제안하였으나 지속적인 석유의 공급문제가 걸림돌이 되었다.

남쪽의 여러 단체들이 북한 산림녹화 사업을 위해 양묘장 지원을 하고 있다. 양묘장의 지리적 특성상 외곽 지역에 위치하게 되는 관계로 양묘장 운영에 필요한 전기의 공급이 현지에서는 불가능하다. 현재 양묘장 조성시 최소 필요 전기 생산을 위해 태양광 발전 설비비가 사업비의 상당 부분을 차지하고 있다.

지금은 중단되어 있는 과거 6자회담시 남북 당국간 협의 등에서 보이는 북한의 핵심적 요구 사항은 대미 관계의 정상화를 통한 서방 세계와의 관계 정상화와 아울러 에너지 지원 문제가 큰 비중을 차지함을 알 수 있다.

현재까지 북한 에너지 문제에 대해 논의 되거나 추진되어온 내용은, 현재는 중단상태에 있는 1994년 제네바 합의에 따른 북한 신포에 건설하는 2기의 경수로사업, 한국정부에 의한 200만kw전력 대북 직접 송전, 극동 러시아의 대북전력 송전계획과 천연가스 지원, 유럽-송배전망 복구와 재생에너지, 일회성 지원인 중유공급 등이다.

북한의 극심한 경제난의 해소를 위해서는 필연적으로 에너지 문제에 대한 접근이 병행되어야만 한다.

현재까지 국제사회에서 논의 되고 있는 북한 에너지문제에 대한 접근은 대부분 중앙집중형 공급 방식이다. 이는 북한과 국제 사회가 합의에 이른다 하더라도 건설에 소요되는 기간이 상당하는 문제(짧게는 3년 길게는 10년)와 북한의 송배전망의 상황을 고려할 때 추가적으로 막대한 비용이 수반된다는 문제가 뒤따른다. 또한 전지구적으로 고민하고 있는 화석 에너지에 대한 문제의식을 담고 있지 못하다는 점도 고려할 필요가 있다. 지속가능한 에너지 체제에 대한 다양한 고민이 필요하다. 북한 내부에서도 대규모 중앙 집중형 공급을 통한 에너지 문제의 해결을 위해서는 주로 국제 사회에 요구를 하고 있지만, 지역 단위에서 생산과 공급이 가능한 다양한 에너지 발굴에 많은 힘을 쏟고 있음도 주목할 필요가 있다.

북한은 자력갱생 정책과 에너지난으로 인해 재생가능에너지 이용 기술 개발에 관심이 많다. 2006년 북경에서 열린 동북아 에너지 협력 회의에서 북한 대표는 "화석연료의 부족으로 새로운 에너지 대안을 찾을 수밖에 없었다"며, 재생 가능 에너지 필요성 역설했다. 북한은 3면이 바다로 둘러싸여 있으며 국토의 80%가 산지로 수력발전, 풍력발전, 조력 발전이 유망하다. 북한은 다양한 분야에서 재생 가능에너지 활용. 지역별로 에너지 부족분 해소를 위해 소형 발전소를 건설하고, 공장, 군대, 탁아소 건물별 전력자립시스템을 갖추고 있다.

북한에 햇빛발전(태양광)이나 재생가능에너지를 지원하게 되면 남한의 재생가능에너지 산업이 성장하는 효과를 거둘 수 있다. 남한의 장

남북 합의서 교환 / 평양시 낙랑구역 부근 햇빛발전소 건립 예상부지 (2009. 8. 26)

기적인 이익과 경제 활성화에 도움이 되는 것이다. 에너지 협력을 통한 남북경협 모델 또는 남북 산업 활성화를 달성할 수 있을 것이다.

남한의 재생 가능 에너지 문제는 국내 시장이 형성되지 않은 것인데, 정부가 북한에너지 협력을 재생가능에너지로 설정하면 시장이 형성. 재생가능에너지 산업은 대부분이 중소기업으로 고용과 중소기업 활성화라는 성과를 얻을 수 있다. 북한과의 협력을 통해 남한의 재생가능에너지 산업이 성장하면 세계적으로 새로운 성장산업으로 각광받고 있는 신재생에너지 시장에 수출국으로 부상할 수 있다. 산업의 발달은 한국 내 재생가능에너지의 생산 단가를 낮춤으로써 한국의 지속가능한 에너지 체제 수립에도 기여하게 될 것이다. 재생가능에너지 시장이 점점 커지면서 세계 각국은 시장 선점을 위한 투자와 기술 확보 경쟁에 뛰어들고 있는 상황이다. 기존의 전통에너지 체제가 갖는 갈등과 부정적 외부효과를 예방할 수 있을 것이다.

에너지 전환의 이필렬 교수는 2005년 10월26일 〈우리민족서로돕기운동〉가 주최한 정책 포럼에서 "경수로 건설비를 최대 7조 원으로 잡고 절반씩을 태양광발전(1kW, 800만 원)과 풍력발전풍력발전(1메가 와트, 15억 원)에 투입하면 각각 70만 kW와 350만 kW의 전력을 생산할 수 있다"라며 "이는 420만 kW로 원자력발전소 1.5개와 맞먹는 전력량"이라고 주장했다. 경수로 건설에 들어가는 비용과 같은 비용을 들여 재생가능에너지에 투자할 경우 경수로와 비슷한 양의 전기를 생산할 수 있다. 또한 경수로를 건설할 때까지 10년 동안 중유를 공급하지 않아도 된다. 다만 태양광 발전기나 풍력발전기는 북한 전역에 퍼져서 수 천,

수만 개가 설치되기 때문에 공사 수행과 관리에 어려움이 따르기는 한데 이는 충분히 극복 가능한 문제라고 생각한다. 송배전망 인프라가 무너진 상황에서 분산형 전원을 실현하는 재생가능에너지의 활용은 북한의 에너지 시스템에 가장 적합하다고 할 수 있다.

1996년이후 지속되고 있는 민간단체의 대북지원사업이 긴급 식량지원사업에서 개발지원사업 - 농업지원, 축산지원, 산림지원, 보건의료지원 등으로 전환을 하고 있는지도 상당한 시일이 흘렀다. 한국사회에서 지속가능한 지원을 위한 지속적 자원 확보를 위한 북한의 지역 선정에 있어서 에너지 문제는 당면하는 어려움이다.

국가 단위의 대규모 지원의 문제에 대한 많은 쟁점들은 논외로 두더라도, 이 시기 북한의 에너지 문제에 대한 민간차원에서부터 가능한

2009년 2월, 부산일보에 실린 보도 내용

접근은 이미 늦은 감이 있는 사업이다. 이에 따라 부산우리민족서로돕기운동이 중심이 되어 추진 중인 햇빛발전(태양광)지원 사업은 에너지 문제가 시급한 북한의 사정이나 당면한 북한의 에너지 현황에 비추어 많은 의미를 담은 사업이라 할 수 있다.

그 당시 '평양우리민족햇빛발전소'추진위원회 구성을 보니 공동대표가 7명, 추진위원이 260명이고 추진사업단장은 내가 맡았다. 지금은 태양광 전지판 가격이 많이 내렸지만 당시 우리가 추진했던 용량 500 킬로와트급 햇빛발전소를 평양에 건설하는데 드는 비용은 약 50억 정도로 추산을 하였다. 비용 조달은 그 당시 우리단체 상임대표인 범어사 주지 정여스님이 허남식 부산 시장을 범어사 조찬 자리에 불러 20억원 상당을 지원해 주기로 약속을 받아냈다. 그리고 2010년 상반기에 현대중공업을 방문한 자리에서 정몽준 회장이 우리의 대북 태양광 사업 이

이기를 듣고는 인터폰으로 사장을 불러 현대중공업에서 스님이 하는 평양햇빛발전소 건설을 다 지원하라고 지시를 하여 비용 문제는 다 해결이 된 셈이었다. 그러나 2010년도 벌어진 천안함 사건으로 인해 모든 것이 물거품이 되어버렸다. 지금 당시 약속을 했던 정몽준회장에게 이 이야기를 하면 이제라도 지원한다고 할지 무척이나 궁금하다. 어쨌든 나는 그 누구도 생각하지 못했던 50억 원짜리 대북 햇빛발전소 건립 프로젝트를 사실상 성사시킨 경험이 있는 사람이라고 자부한다.

2. 하얄리아 미군기지 반환 운동

　　필자가 사회운동하면서 가장 보람 있었던 일은 부산 주둔 주한미군 하얄리아 부대를 폐쇄하고 그 부지를 반환 받는데, 시민운동 차원에서 매우 중요한 역할을 했다는 사실이다. 부산 진구 범전동에 자리 잡고 있는 부산을 대표하는 부산시민공원이 그것이다.

　　필자는 1999년 11월, 주한미군철수 운동 단체를 결성하면서부터 이 부대를 반환받기 위해 가장 선두에 서서 싸웠다. 911 사건이 발생하기 직전까지 거의 매일 하얄리아 부대 앞에서 반환 촉구를 위한 시위를 벌였다. 그리고 마침내 2006년 부대 이전이 아닌 완전 폐쇄라는 쾌거를 일구어냈다. 물론 필자 단체만의 노력은 아니다. 하지만 부산 지역 어느 단체나 개인보다도 끈질 지게 반환운동을 전개했다는 것은 내용을 조금이라도 아는 사람들은 다 인정하고 있다. 그러나 유감스럽게도 나는 반환 결정이후 시민공원을 조성하는데 그 어떤 회의체 참여나 제안을 공식적으로는 받은 적이 한 번도 없다. 약간 서운한 마음은 있었지만 전혀 개의치 않았다. 필자의 역할은 반환을 받는 데 있고 그 이후의

문제는 다른 많은 뜻 있는 시민단체들과 부산시가 잘 진행해 줄 것이라고 생각했다.

어느 날 공원 역사관에 들어가 보니 그 때 활동했던 사진들이 전시되어있었다. 그것만으로도 참으로 흐뭇하다. '빨갱이'니 '친북세력'이니 욕하던 사람들도 참 많았었다. 격세지감을 느끼지 않을 수 없다.

아래 글 내용은 당시 부산 주둔 주한미군 하얄리아 부대(지금의 부산시민공원) 반환을 촉구하기 위해 벌인 집회시위 후기 중 남아 있는 기록을 겨우 찾아서 그대로 옮긴 것이다. 그 당시 쓴 글을 수정 없이 그대로 실었기 때문에 거친 표현으로 읽기가 불편한 내용도 있을 줄 안다. 그때의 생생한 상황을 그대로 전달하기 위해서 어쩔 수 없었다는 말씀을 드린다. 기록물을 찬찬히 읽다보니 내가 참 열심히는 했구나 하는 그런 생각이 든다. 한편으로 이 미군기지 반환 운동에 대한 제대로 된 기록이 없는 것이 지금 생각해 보면 참 아쉬운 점이다. 하지만 이거라도 남아 있으니 다행이지 싶다. 다시 한 번 말씀드리지만 이 기록을 읽는 분들은 표현상의 불편한 점에 대해서 양해해 주길 바란다. 당시 필자는 무쇠도 녹일 팔팔한 청춘이었다는 것을 기억해 주면 좋겠다는 말씀도 아울러 드린다.

참고로 시민공원을 잠깐 소개[2]를 보면 면적은 473,911㎡ 이며, 그 중 공원 중앙지역에 자리하고 있는 하야리아 잔디광장 면적은 축구장 크기의 66배인 약 40,000㎡이다. 공원 내에는 97종 85만여 그루(교목 은행나무 등 46종 9,937 그루, 관목 43종 844,314 그루)의 나무가 심어졌으며 공원역사관, 공원안내소, 부전천(2.5㎞), 전포천(2.5㎞), 분수(4개소), 광장(6개소), 어린이놀이시설(9개소) 등과 주차장(902면), 카페(3개소), 편의점(2개소), 화장실(22개소)등의 편의시설이 만들어져 있다. 현재 이 부산시민공원은 부산 시민은 물론이고 우리나라를 찾는 외국인들도 즐겨 찾는 세계적인 명품 공원으로 발돋움하고 있다.

주한미군 하얄리아 부대 반환 활동 기록[3]

부산 미 하얄리아 부대 측에 보내는 엄중한 경고장

주미철 부산본부 리인수 의장은 '미군기지 철거, 시민공원 조성'의 피켓을 들고, 순서 날인 오늘(월요일), 부산 미 하얄리아 부대 앞에서 1인 시위를 진행하였다. 리인수 의장이 1인 시위를 진행한 시간은 오후 2시 25분부터 3시 25분까지이다. 그런데 1인 시위를 시작한지 한 20분 정도 지나서인가, 리인수 의장은 참으로 모욕적인 일을 겪게 되었다. 부대 안으로 들어가는 미 군무원(주한미군은 아닌 것 같음)으로 보이는 체격이 뚱뚱하고, 짙은 청색 구형 소나타 승용차를 모는 미국인 운전자가 갑자기 "야, 이 개새끼야 꺼져!"라는 욕을 내 뱉으며 부대 안으로 차를 몰고 쏜살 같이 들어가 버리는 것이었다. 리인수 의장은 하도 어이가 없이 한동안 그 자가 들어간 쪽을 멍하니 바라보며 서 있었다. 그리고 잠시 후 미군 부대 정문 앞으로 가서 정문 근무자들을 불러서, 소나

---

2. 부산시민공원 홈페이지 인용
3. 이 시위 기록 후기에 나온 인터넷 주소와 전화번호는 지금은 필자와 아무런 관련이 없다.

타 차량의 운전자를 불러올 것을 요구하였다. 그러나 한국인 카투사병과 미군들은 그에 대한 대꾸는 않고 "더 이상 들어오면 안 된다"는 말만 되풀이하였다. 이에 리인수 의장은 112로 일단 신고를 하여 경찰 측의 단속을 요청하였다.

경찰이 현장에 출동하여, 리인수 의장으로부터 전후 사정을 들은 후에, 미군 부대 면회소 안으로 들어가 그 자의 신원 파악을 요구하였다. 그러나 미군측은 누가 누군지 모른다며, 나중에 부대에 상주하는 외사과 경찰관과 대화를 요구했던 모양이다.

출동한 경찰관의 그 같은 설명을 듣고 리인수 의장은 일단 물러났다. 그러나 여기서 이 일을 이대로 끝낼 수만은 없다. 미 군무원인 그 자가 내뱉은 욕은 리인수 의장 개인에게 한 것이 아니라, 부산 시민 나아가 우리 국민들을 욕되게 한 것이다.

언제나 한국인을 무시하고 깔보는 미국 놈들의 오만방자함이 여실히 드러난 예라고 볼 수 있다. 그 자의 그런 작태는 우연히, 순간적인 기분에서 나온 욕이 결코 아니다. 아주 고의성이 짙은 것이다.

항상 그렇게 욕을 해대는 자가 미군부대 내에 두 놈이 있다. 한 마리는 지금 말하는 이 자이고, 다른 한 마리는 프라이드 베타(밤색)를 모는 안경 끼고 야윈 미국인 군무원이다. 우리는 더 이상 이런 건방진 미국 놈들이 한국인 깔보는 작태를 두고 보지 않을 것이다. 이에 우리는, 오늘 주미철 부산본부 리인수 의장에게 모욕적인 욕설을 내뱉은 미 군무원의 신원을 공개하고, 하얄리아 부대장 명의의 공식사과문을 오는 수요일(14일) 주미철 부산본부로 제출할 것을 요구한다. 만일 우리의 이 같은 요구가 받아들여지지 않을 시는 다음과 같은 엄중한 사태가 발생하지 않으리란 보장이 없음을 주한미군측은 똑똑히 명심해야 할 것이다.

하나, 우리 주미철 부산본부는 2001년 11월 19일 이후 미군 부대 앞에서 1인 시위를 하는 시민 · 사회단체 회원들에게 모욕적인 욕설을 하는 주한미군과 미국인 군무원들이 적발될 시는, 그 자리에서 바로 그자의 '주둥아리'를 뭉개놓겠다는 것을 엄중히 경고한다.

하나, 미군 부대 앞에서 1인 시위를 하는 시민 · 사회단체 회원들에게 모욕적인 욕설을 하는 주한미군 관련자 그 누구도 부산 시내 외출시 신변 안전을 보장받지 못함을 엄중히 경고한다.

하나, 향후 주미철 부산본부에는 '이에는 이, 눈에는 눈'으로 주한미군과 미국인 군무원들을 대할 것임을 또한 분명히 밝혀두는 바이다.

하나, 우리의 이 같은 행동 결과에 대한 책임은, 전적으로 주한미군 하얄리아 부대 측에 있다는 것을 아울러 경고하는 바다. 〈끝〉

주한미군 철거하는 해 2001. 11. 19.
주한미군철수국민운동 부산본부 대표 리인수

미국의 북침 전쟁 연습, 한-미군사훈련 저지·규탄 투쟁보고

오늘 오후 5시부터 6시까지 부산 동의대학(전문대학) 진입구 앞 육교 위에서는 한-미군사훈련을 반대·규탄하는 육교 위 1인 시위가 힘차게 진행되었습니다. 원래 저 아래쪽인 부산 진 경찰서 앞 육교 위를 택하였으나, 지난 번 했던 자리에서 하는 것이 상징성이 있을 것 같아 내일부터 오늘 했던 이 장소에서 계속 진행하기로 했습니다.

오늘의 육교 위 1인 시위는 예외 없이 남북공동선언부산실천연대(준)와 주미철 부산본부 대표를 겸임하시는 리인수 대표가 맡아 주셨습니다. 리인수 대표는 목에 ≪무기강매, 전쟁책동 부시정권 규탄한다!≫ 문구가 적힌 큰 피켓을 걸고, 그리고 육교 위 난간에는 길이 5미터 너비 90cm 의 ≪미국 놈들의 북침 연습, 한미군사훈련 결사반대!≫라고 적힌 플래카드(연두색 바탕에 파란과 빨간 글씨)를 철사로 묶어서 육교 난간에 고정시키고 그 옆에 서서 1인 시위를 진행하였습니다. 마침 학생들 하교 시간과 퇴근 시간이 맞물려, 육교 위로는 수많은 중·고등학생들이 지나가며 플래카드에 적힌 문구를 따라 읽으며 "아저씨 힘내세요." "수고하세요" 등 인사를 하고 갑니다.

많은 사람들이 버스를 기다리는 육교 밑 양 옆 버스 정류장의 시민들 눈길이 전부 육교 위 1인 시위 쪽으로 쏠려있습니다. 택시정류장에는 손님을 기다리고 있는 택시 기사 분들이 창문을 열고 육교 위를 향해 손을 내저으며 "욕 봅니다"(수고한다는 뜻)라고 인사를 건넵니다. 육교 밑을 지나가는 차량의 운전자들은 위를 쳐다보며 웃기도 하고, 지난번처럼 고개를 들어 올려다보기도 합니다.

반미 감정이 많은 때라 그런지 차량에서 경적을 울리며 격려해주시는 분들도 많이 늘어난 것 같습니다. 이제 시민들은, 단체에서 만든 피켓의 짧은 문구만 봐도 고개를 끄덕이고 대부분 공감하는 표정을 짓습니다. 반미에 대하여는 거의 공감대가 형성된다고 할까요.

오늘 비록 한 시간의 짧은 1인 시위였지만, 많은 시민들과 함께 한 의미 있는 시간이었습니다.

시민들도 지금 미국이 한반도 이남 땅에서 벌이는 군사훈련이 이북을 침략하려는 전쟁연습이라는 것쯤은 이제 다 압니다. 운동단체들처럼 직접 나설 형편이 못되기 때문에 응원 정도 하는 수준에 머물고 있지만, 언젠가 큰 계기가 마련되면 과거 큰 항쟁의 물줄기가 부산에서 비롯되었듯이, 이 고장에서 다시 한 번 민중항쟁이 일어날 수도 있을 것입니다. 그때는 지금까지의 반정부 항쟁이 아닌 거세찬 반미항쟁이 될 것입니다.

오늘 뉴스를 들으니 미국이 한국에 이지스함을 팔려고 압박을 가하고 있다고 합니다. 미국은 지금 제 무덤을 파고 있습니다. 부산 시민들이 한번 들고 일어나면 얼마나 무섭다는 것을 미국은 알아야 할 것입니다. 이제 미국은 한반도 평화를 위협하는 전쟁 놀음을 즉각 중단하고, 이미 체결된 조-미간에 합의된 내용들을 확실히 이행하고 평화를 위한 길을 모색하는 것이 좋을 것입니다.

이 땅에서 미국이 전쟁을 일으키면 우리 부산시민들은 미국을 결단코 용서치 않을 것입니다.

온 국민과 함께 미국에 맞서 싸울 것이라는 것을 미국은 똑똑히 알아야 할 것입니다.

우리 힘으로 미국의 전쟁책동을 완전히 분쇄하고 우리 민족끼리 자주적으로 통일하는 그 날이 하루 속히 오길 바라는 마음을 다시 한 번 되새기면서 오늘 투쟁에 관한 후기를 여기서 접을까 합니다. 내일은 부산실천연대 발기인 성** 님께서 진행을 할 것입니다.

한반도 전쟁책동 한미군사훈련계획 철회하라!!
우리민족끼리 평화로운 데 전쟁 연습 웬말이냐, 미군은 철수하라!!

주한미군 철거하는 해 2002년 3월 20일
남북공동선언부산실천연대(준) 주한미군철수국민운동 부산본부
〈onekorea21@onekorea.net〉

주한미군은 유령집회 신고를 거두고 즉각 철수하라!

부산 지역 11개 시민·사회단체는 지난 4월 4일부터 미 하얄리아 부대 폐쇄와 주한미군 철수를 위한 주미철 1인 시위와 수요 집회를 계속하고 있다. 이 과정에서 번호판 없는 미군 차량을 적발하는 등 시민들의 안전에도 크게 기여한 바 있다. 그리고 이 집회를 통해 지역주민들이 주한미군 철수를 강력히 원하고 있다는 사실을 확인하는 큰 성과를 거두고 있다.

그런데 이러한 집회를 주한미군 측이 합법을 가장하여 조직적으로 막아 나서고 있는 것이다. 주한미군은 부대 내 한국인 노동조합 명의로 오는 8월 1일부터 2002년 7월 31일 까지 '대책 없는 미군철수 반대와 주한미군 업무 하청반대'를 위한 집회를 자기들 부대 정문 입구에서 매일 아침 해 뜨는 시간부터 해 지는 시간까지 1년 내내 개최한다고 관할 경찰서에 집회 신고를 낸 것이다.

우리는 이러한 집회가 허위 유령집회라는 강한 의혹을 가지고 있다. 우선 주한미군 하얄리아 부대 노동조합 총무라는 사람이 8월 1일 집회에 누가 얼마나 나가고, 어떻게 진행이 될 건지에 대해서도 전혀 모르고 있기 때문이다. 지부장이 와야 집회의 정확한 내용을 알 수 있다는 것이다. 이러한 주한미군 노조 간부의 말에서도 짐작이 되듯이, 이번 건은 하얄리아 부대 측이 뒤에서 조종한 의혹이 있는 것이다. 집회 내용에 대해서 어떻게 노동조합 총무가 아무 것도 모를 수 있단 말인가!

그리고 더 규탄 받아 마땅한 것은 이러한 일이 부산지역에 국한된 것이 아니라는 사실이다. 서울, 부산, 대구, 경기도 등 전국에 걸쳐 있는 주한미군 부대 정문 앞에는 집회신고가, 미군부대 내 한국인 노동조합 명의로 짧게는 1개월, 길게는 1년 동안 신고 되어 있는 것이다.

이러한 일로 미루어 짐작컨데 이는 특정 단위 부대의 결정이 아니라 〈주한미군사령부〉 차원에서 조직적으로 이루어지고 있는, 우리 헌법이 보장하는 시민·사회단체의 합법적 집회마저 깔아뭉개려는, 그렇게 하여 다시는 미군부대 앞에서 집회를 열지 못하도록 막아 보겠다는 명백한 주권 침해 행위인 것이다.

따라서 우리는 〈주한미군사령부〉 측의 이러한 주권 침해 행위를 결코 좌시 하지 않을 것이며, 또한 이를 분쇄하는 길은 주한미군을 철거하는 길 밖에 없음을 다시 한번 다짐하지 않을 수 없다.

최근 들어 주한미군의 환경범죄가 또 다시 크게 늘고 있다. 엊그제는 용산 미군기지에서 흘러나온 기름으로 인해 주변 땅과 지하수가 회복 불가능 할 정도로 오염된 충격적인 사실이 환경단체에 의해 밝혀졌다. 이 뿐만 아니라 강원도 원주 지역에서는 기름 유출로 인한 식수원 오염사건이 발생했었고, 한강에 독극물을 버리는 작태마저도 서슴치 않았던 것이 주한미군이다. 이러한 일은 앞으로도 미군이 이 땅에 주둔하는 한 계속될 것이다. 이처럼 우리의 강산이 주한미군으로서 인해 심각하게 오염되어가고 있는 것이다.

또한 주한미군은 이 나라를 정치·군사적으로 지배하는 미국의 물리력으로 작용하면서 이 땅의 많은 국민들을 대북·반공물신주의로 물들여 민족끼리 싸움을 하도록 부추긴 장본인이기도 하다. 그리고 그들은 지난 50여 년 동안 숱한 범죄를 저질러왔고, 그것도 모자라 핵무기를 통해 북한을 공격하겠다는 협박을 일삼으면서, 이 땅을 세계에서 가장 위험한 지역으로 불리게 하는 데 일조한 집단이기도 하다.

이러한 주한미군을 몰아내기 위해 주미철 부산본부를 비롯한 부산지역의 많은 시민·사회단체들의 투쟁은 앞으로도 멈추지 않을 것이다. 우리의 투쟁은 전쟁을 막고 주권을 찾기 위한 의로운 싸움인 동시에 민족의 통일을 앞당기는 애국·애족 행위인 것이다.

시민·사회단체들의 이러한 투쟁을 얄팍한 허위 유령집회로 막아보겠다는 발상을 하는 것을 보니 주한미군의 명줄도 다 된 모양이다.

주한미군에게 경고한다. 이 땅에서 전쟁할 마음이 없다면 당장 보따리 싸들고 미국으로 돌아가라. 그대들이 있을 곳은 아메리카 원주민들과 수많은 약소민족의 피로 얼룩진 '저주의 땅' 아메리카이지, 아름답게 빛나는 금수강산 한국이 아니다. 주한미군은 유령집회 신고를 거두고 당장 미국으로 돌아가라! U.S. TROOPS OUT OF KOREA!!

주한미군 철거하는 해 2001. 7. 31.
주한미군철수국민운동 부산본부 공동의장 리인수

주한미군은 어서 이 땅을 떠나라.
말로 해서 듣지 않으면 몽둥이 세례만 있을 뿐이다.

〈 2001년 5월 2일 〉

주미철 수요집회, 선만 그으면 미군 땅?

부산 미 하얄리아부대 폐쇄와 주한미군 철거를 위한 주미철 수요집회가 오늘 12시부터 13시까지 미군부대 정문 앞에서 개최되었습니다.

• 참가 : 주미철 부산본부, 지하철 해고 노동자

이제 한 달 넘게 집회를 하게 되니 주변의 동네 주민들도 오늘은 무슨 얘기하나, 듣고 싶어 나오시는 분들도 생겨나고 있는 것 같습니다. 미군부대 정문 앞까지는 오지 않더라도 길 건너편에서 이쪽의 집회 모습을 열심히 주시하고 있다는 것을 분명히 알 수 있었습니다. 그 중에는 아주머님들도 눈에 띄었습니다. 오늘 집회가 기지 주변 주민들의 관심이 본격화되는 계기가 되었으면 좋겠다는 생각이 듭니다.

지하철 해고 노동자인 양춘복 동지가 마이크를 들고서 미군기지 존치의 부당성, 미국의 무기구매 압력, 어려운 노동자들의 살림살이 등이 주한미군으로 인해 비롯된 것이라는 말씀으로 열변을 토해 주셨고, 이어서 주미철 부산본부 리인수 대표는 끝날 때까지 30분을 거의 쉬지도 않고 지나가는 시민들과 차량들을 향해, "주한미군은 우리를 도우러 이 땅에 온 것이 아니다", "그들은 우릴 지배하면서 우리의 피땀어린 재화를 빼앗아 가는 도적떼·날강도 놈들이다", "미군 놈들은 우리 민족의 철천지원수다. 학살자 놈들이 우릴 지켜주겠다고 버티고 있는 게 말이나 되느냐"며 거의 숨도 쉬지 않는 듯 30여분 동안 열변을 토하셨습니다.

비록 집회를 여는 분들의 숫자는 얼마 되지는 않지만, 지나가는 많은 사람들의 박수와 환호만으로도 집회의 효과는 충분히 나타나는 것이라고 생각됩니다.

오늘의 특이사항은, 미군기지로 들어오는 차량 한 대가 차 유리문을 내리고, 한 40대 중반 정도 되었을성 싶은 남자 분이 "미군기지가 철거되면 우린 뭘 먹고사느냐? 이런 시위하지 마라"며 주미철 김모 회원에게 따지는 일이 발생했습니다. 이에 김 회원은 "미군이 나가면 일자리도 많이 생기고 먹고살기도 지금보다 훨씬 낫다"고 응수하였습니다. 그래도 자꾸 시비 투로 말을 걸어오는 통에, 성질 급한 김 회원이 한 대 쥐어박으려 하자 기지 안으로 잽싸게 차를 몰고 들어가 버렸습니다. 짜식~겁은 많아 가지고. 쯔쯔.

오늘은 날씨가 좋았습니다. 간간이 바람에 좀 세게 불어와 피켓을 들고 있는 데 약간의 어려움은 있었으나, 정말 한 시간 동안 힘차게 투쟁한 것 같습니다.

오늘 수요 집회에 참가한 분들께 감사드립니다. 내일은 1인 시위가 있는 날입니다.

〈 2001년 5월 4일 〉

부산 주한미군 하얄리아부대 폐쇄와 주한미군 철거를 위한 주미철 1인 시위가 오늘도 미군부대 정문 앞에서 있었습니다. 오늘 1인 시위는 부산본부 리인수 대표가 진행을 하였습니다. 원래 오늘 1인 시위를 하실 분은 주미철 부산본부 회원 분이었는데, 리인수 대표가 마침 회사 일 때문에 미군부대 앞을 지나가다 1인 시위자가 없는 것을 보고, 부산본부 사무실로 전화 확인한 결과 펑크가 난 사실을 알게 되어 곧장 1인 시위를 대신 진행하게 된 것입니다.

1인 시위를 시작하면 금방 손을 흔들거나 박수를 치는 분들이 지나가는데, 오늘은 아무도 그런 분 없이 다들 그냥 지나가는 것이었습니다. 그런데 거의 5분 정도의 시간이 지나자 어떤 오토바이 아저씨가 리인수 대표 앞에 딱 멈춰 서서 거수 경례를 하고 지나가는 것이었습니다. 마치 그것을 신호로 기다렸다는 듯이 그때부터 지나가는 차량마다 손을 흔들고, 박수를 치고, 어떤 영어 학원 차량에서는 여학생들이 차문을 다 열어제치고 "와~" 하는 응원의 함성을 지르고 지나가기도 했습니다.

어떤 회사 통근 차량의 기사 아저씨는 정중히 목례를 하며 지나갔고, 특히 지난 4월 4일부터 한 번도 보지 못했던 고급승용차(그랜저승용차)에서, 동그라미를 그리며 손을 치켜들고 화이팅을 외치고 지나갔습니다. 정말 너무 많은 분들이 응원을 해주고 가는 바람에 오늘도 30분을 연장하고 왔다고 합니다.(12시 30분부터 14시 7분까지)

가끔씩 안타까운 경우도 있다고 합니다. 다른 건 아니고, 손을 흔들거나 목례를 하고 지나가는 차량 운전자들을 보지 못해 답례를 못하는 경우가 그런 경우라고 합니다. 하긴 일일이 답례를 하기엔 너무 많은 분들이 응원을 해주시는 것 같습니다.

리인수 대표는 1인 시위를 하는 동안 〈일송정 푸른 솔은〉으로 시작하는 선구자와 '우리의 소원은 통일- 꿈에도 소원은 통일'노래를 목이 터져라 불러댔습니다. 그럴 적마다 신호 대기하는 차량에서 운전자들이 일부러 차 문을 다 내리고 큰 소리로 "화이팅! 화이팅!"을 외쳐주셨고, 자전거를 타고 옆을 지나가는 분과, 미군 부대 군무원으로 보이는 미국인도 "정말 수고 하십시다"라는 말과 함께 매우 미안해하는 표정으로 지나가기도 했습니다. 또 미군부대에 일하는 한 시민은 "피켓이 무거울 텐데 좀 쉬었다고 하십시오"라는 말로 인사를 하였습니다.

112 순찰차 경관도 손을 흔들며 지나갔고, 오늘도 정말 너무 많은 분들이 주미철 1인 시위에 응원을 보내 주셨습니다.

리인수 대표는 노래를 부르다 말고 미군들을 향해 "양키 고 홈"을 연신 외쳐댔고, "이놈들아, 이 깡패 놈들아 어서 꺼져라"고 고래고래 고함을 지르기도 했습니다. 그럴 때마다 지나가는 차량들은 경적을 울리고 연신 손을 흔들며 지나갔습니다. 오늘 역시 미군철거에 대한 시민들의 지지를 확인할 수 있었던 뜻 깊은 1인 시위였다고 생각합니다. 감사합니다.

부산 지역 1인 시위에 참여하실 분과 단체는 연락을 주시면 고맙겠습니다. 다음 1인 시위는 월요일입니다

〈 2001년 5월 14일 〉

미군부대 출입차량, 번호판도 달지 않고 도로질주 횡포

오늘도 부산에서는 주한미군 철거와 주한미군 하얄리아 부대 즉각 폐쇄를 위한 주미철 1인 시위가 진행되었습니다. 오늘 1인 시위를 맡으신 분은 주미철 부산본부 리인수 대표이십니다. 리인수 대표는 오늘, 부득이 1인 시위에 나서지 못한 모 회원 님을 대신하여 진행을 하셨습니다. 그리고 오늘의 1인 시위는 12시부터가 아닌 오후 4시 40분부터 6시 5분까지 진행을 하였습니다.

그런데 한 가지 흥미로운 점은 12시부터 하는 것보다 이 시간대에 하는 것이 시민들의 반응이 더 좋은 것 같은 느낌입니다. 다른 때도 마찬가지지만, 오늘 따라 유난히 손을 흔들고 지나가는 분들이 많았습니다. 목례를 하고 지나가는 버스 기사 분, 경적을 울리며 엄지손가락을 번쩍 치켜들며 화이팅을 외치는 자가용 승용차 운전자, 조수석에 앉아서 두 손으로 박수를 짝짝치는 어느 여성분, 차 문밖으로 고개를 내밀어 "계속 수고해 주십시오"라고 큰 소리로 말하는 승합차 탑승자분, 교복을 입은 학생들이 좌우로 손을 흔들며 "와~"하는 응원을 보내주었고 개인택시를 모는 어느 기사분은 차를 멈칫멈칫하면서 정중히 목례를 하며 지지를 보내주셨습니다.

리인수 대표는 손을 흔들거나 목례를 하는 분들을 한 분도 놓치고 않고 일일이 같이 손을 흔들며 답례를 하셨습니다. 정말 시민들의 반응이 이렇게나 좋은 데 그동안 우리가 뭐 했는가 하는 생각이 새삼 드는 시간이었습니다.

그런데 오늘 한 가지 중요한 장면을 목격했습니다. 미군부대 안에서 나오는 차량 중에 앞뒤 번호판을 달지 않는 차량 몇 대가 발견되었습니다. 이들 차량들은 아무렇지도 않은 듯 도로로 마구 달려 나갔습니다. 아니 세상에 이럴 수가 있습니까? 번호판도 없는 차량이, 도로가 마치 제집 마당인 냥 멋대로 나다닐 수 있는 겁니까?

리인수 대표가 곧장 112로 신고를 하여 단속을 요청하였습니다. 그러자 조금 있다가 경찰 차량 한 대가 나와 미군부대에서 나오는 차량들을 출구에 서서 체크를 하는 듯 하였습니다. 그런데 체크를 하는 동안에도 미군부대에서 나오는 앞뒤 번호판 없는 '티코'차량 한 대가 저쪽 도로로 쏜살 같이 빠져나갔습니다. 이에 리인수 대표가 미군부대 출구에서 단속 시늉을 내고 있던 경찰관을 불러 강력히 항의하였습니다.

그러자 그 경찰관은 "저 차는 소파에 근거해서 번호판이 나올 때까지 몰고 다는 것이다. 호주머니에 임시 운행 허가증이 있음으로 불법이 아니다. 번호판을 늦게 발부하는 부산시에 항의하라"는 말을 하는 것이었습니다.

이에 리인수 대표가 "정신 나간 소리하지 마라, 그리고 번호판이 없으면 운행을 막아야 할 것 아니냐, 그러다가 사고 내고 도망치면 당신들이 책임질 거냐"고 경찰관을 몰아 부치니 자기들 소관이 아니라며 그냥 현장을 떠나버리는 것이었습니다.

남의 나라 땅을 점령하다시피 하고 있는 것도 쳐죽일 일인데, 그런 자들의 가족들이 번호판도 없이 수많은 차량들이 다니는 도로를 지들 꼴리는 대로 마구 나다녀도 단속은 커녕 오히려 그들을 두둔하는 경찰관. 무법천지가 따로 없군요.

리인수 대표는 화가 머리끝까지 나서 본부 사무실로 전화를 하여 실무자에게 부산 시청에 전화하여 따질 것을 전달하였습니다. 나중에 1인 시위가 끝나고 본부 사무실로 돌아와서 확인한 결과, "어떤 이유로도 번호판을 달지 않고 다니는 것은 명백한 불법이다"라는 답변을 시청으로부터 받았다는 소식을 사무국장으로부터 보고를 받았습니다. 이에 리인수 대표는 다시 112로 전화를 하여(출동 나온 경찰관이 어디 소속인지 모르기 때문에) "경찰관이 거짓말을 하면 되느냐" "그게 경찰관의 태도냐" 등 강력히 항의하였습니다. 그러자 전화를 받은 경찰관이 "누가 그런 답변을 했는지 전화로 답변을 해드릴 테니 기다려 달라"하여 일단 이 문제를 지켜보기로 하였습니다.

사실 이번 번호판 미 부착 차량 건은 지난 4월 달 1인 시위를 한 어느 단체 실무자 분에게도 이미 들은 얘기입니다. 솔직히 그때는 사무국에서 무심코 지나쳤더랬습니다. 이제라도 문제를 제기하게 되어 다행입니다. 이번 일을 계기로, 혹시 우리가 미군 측의 오랜 불법행위에 만성이 되어 의식, 무의식적으로 이를 방치하고 있는 것은 아닌지 철저한 자기반성이 뒤따라야겠다는 생각을 하게 됩니다.

연일 집회·시위로 과로하여 몸이 편찮으신 가운데도 1인 시위를 하신 리인수 대표님께 부산본부 사무국에서는 그저 죄송하고 감사하다는 말씀 밖에 드릴 말이 없어 안타까울 뿐입니다. 사무국에서도 지금보다 더 열심히 투쟁하겠습니다. 투쟁!!

〈 2001년 5월 28 〉

진행 – 주미철 부산본부 사무국(장)

시간 – 오후 5시 20분에서 6시 30분까지

원래 정한 시간은 12시부터 13시까지이나, 주미철 부산본부 자체적으로 진행할 때는 시간에 구애받지 않기로 했습니다. 타 단체들도 그렇게 하셔도 되겠습니다. 퇴근시간에 하니 더 많은 사람들이 볼 수 있어서 좋은 것 같습니다.

〈 2001년 5월 29일 〉

진행 –주미철 부산본부 리인수 대표

시간 –오후 2시 20분부터 3시 30분까지

리인수 대표가 1인 시위를 한 오늘은 정말 무더웠습니다. 체감온도가 한 30도는 되는 것 같았습니다. 정말 더운 날씨였습니다.

"부산 시민 여러분, 이 깡패 소굴 미군기지를 어떻게 해야 할까요? (리)

"아, 당장 철거해야 지요" (택시 기사)

"미군 놈들아 어서 이 땅을 떠나라, 너희가 알아서 나가지 않으면 두들겨 패서 쫓아낼 것이다"(리)

"아, 그럼요 쫓아내야지요. 쫓아냅시다. 화이팅!" (택시 기사)

"아저씨 고 – 마압습니다~" (리)

"정말 수고하십니다. 자 욕보이소" (택시 기사)

이게 무슨 대화냐고요?

네, 말씀드리지요. 리인수 대표님이 1인 시위를 하면서 신호대기 중인 차량들을 향해 목이 터져라 구호를 외치자 옆에 있던 어느 택시 기사 분이 차 유리문을 내리고 말을 받아주는 모습이지요. 그 택시 기사 분은 진심을 담아 1인 시위에 응원을 하고 가신 겁니다. 이 분 뿐만 아니라 지나가는 많은 택시 운전자들이 손도 흔들고, 목례도 하고, 두 손으로 박수도 짝짝치는 등 응원을 많이 하고 갔습니다. 또 레미콘 차량 두 대가 엄지손가락을 치켜들며 지지를 해주며 지나갔습니다. 한 때는 레미콘 아저씨들이 과속을 많이 하고 그래서 밉기까지 했는데, 오늘은 얼마나 고맙던지, 역시 사람들은 필요에 따라 같은 사안이라도 자기에게 좋으면 이기적으로 생각하기도 하나 봅니다.

이쪽 차선이 아닌 저쪽 차선의 차량 운전자들도 고개를 내밀고 연신 "화이팅 파이팅"을 외치고 지나갔고, 어떤 운전자 분은 자신을 보지 못하자, 클락숀을 "빵빵" 누르면서 손을 흔들며 지나갔습니다. 리인수 대표는 잠시도 가만있지 않고, 차량들이 대기하면 또 구호를 외치고, 그러면 차량 운전자들은 "잘 한다 수고 많습니다"를 큰 소리로 외쳐주었습니다. 마치 말을 하면 되돌아오는 메아리처럼 말입니다. 또 리인수 대표는 오른 손을 높이 치켜들고선 지나가는 차량들에게 손을 흔들었습니다. 먼저 손을 흔드니 같이 흔드는 분이 대부분이었습니다.

시간 내내 구호를 외치거나 미군 규탄 발언을 쏟아내는 리인수 대표와, 비록 순간적이긴 하지만 적극적으로 호응을 해주시는 시민들의 모습에서, 이 1인 시위는 결코 혼자만의 1인 시위가 아니구나 라는 것을 깨닫게 되었습니다.

그리고 이 시간대에는 나타나지 않던 경찰까지 온 걸로 봐서, 비록 혼자지만, 하도 시민들의 반응이 좋으니 혹시 무슨 일이라도 날까 봐 미군들이 부른 것 같습니다.

오늘 1인 시위는 한마디로 한편의 멋진 '모노드라마'라고나 할까요. 정말 대단한 1인 시위였습니다.

〈 2001년 6월 12일 〉

주미철 야간 1인 횃불 시위!!

지난 4월 4일부터 시작된 부산 미 하얄리아부대 폐쇄와 주한미군 철거를 위한 주미철 1인 시위 및 수요 집회의 열기는 한 여름 뙤악볕 만큼이나 뜨거워지고 있습니다. 이는 부마항쟁과 6월 항쟁의 자랑스런 전통을 가슴깊이 품고 사는 부산지역 시민들이 모범적으로 반미 투쟁에 나서고자 하는 의지의 소산이라고 여겨집니다.

지금까지 주미철 1인 시위와 수요 집회에 결합한 단체는 총15개 단체입니다. 이들 단체는 각자 자기 고유의 사업도 열심히 하면서 주미철 1인 시위 및 수요 집회에 결합하고 있는 것입니다.

단체의 이름이나 성격은 달라도 주한미군을 몰아내고 우리 민족끼리 통일하자는 데는 반대가 있을 수 없기 때문에 나설 수 있는 거라고 생각합니다.

기간의 투쟁을 돌이켜보면, 정말 많은 시민들이 미군기지를 폐쇄하고 주한미군을 몰아내자라는 주장에 적극적으로 지지의사를 밝히셨습니다. 1인 시위와 수요 집회에 참가한 단체나 개인이라면 누구나 이 말에 공감하고 동의할 것입니다.

주한미군철수국민운동 부산본부에서는 기간 부산 시민들이 보여준 지지·성원에 보답하는 길은 하루라도 빨리 미군 놈들을 이 땅에서 몰아내는 길밖에 없다는 사실을 잘 알고 있습니다. 하여 이제부터는 밤 시간에도 미군기지 폐쇄·주한미군 철거 투쟁을 전개하고자 결의하는 것입니다. 야간 시위는 낮 시간의 1인 시위 형태를 그대로 유지하되, 한 손에는 횃불을 들고 시위를 하는 것입니다.

■ 주미철 야간 1인 횃불 시위의 목적
- 미군기지 폐쇄와 주한미군철거에 대한 지역 주민들의 적극적인 관심을 유도한다.
- 미군기지 폐쇄 여론을 전국적으로 확산시키고, 굳센 투쟁 의지를 다져나간다.
- 부산 시민들의 민족자주 의식 고양.

■ 야간 1인 횃불 시위 기간
- 야간 횃불 시위는 낮 시간 주미철 1인 시위와 같이, 매일 하는 것으로 하되 6,7월 달에는 일단은 매주 1회로 한정한다.
- 8월부터는 기간의 상과를 토대로 매일 무기한 실시한다.
- 첫 시작은 다음 주 금요일(6월 22일) 밤 9시부터 10시까지 입니다.

■ 주관단체

– 주미철 야간 횃불 1인 시위의 주관은 주한미군철수국민운동 부산
  본부에서 무기한 맡기로 합니다.

올 해 안에 미군기지 철거한다. 미군 놈들 각오하라!!
미군철거 밤낮 없다. 올 해 안에 반드시 몰아내자!!

〈 2001년 6월 18일 〉 1인 시위

이날(월요일)은 비가 많이 오는 관계로 1인 시위를 하지 못했습
니다.

〈 2001년 6월 19일 〉 1인 시위

• 진행 : 주미철 부산본부 (사무국)

• 시간 : 오후 5시 30분부터 7시 10분까지

점령군 전시회 중이지만 1인 시위를 빠트릴 수가 없어서 진행을 하
였습니다.

〈 2001년 6월 20일 〉 **수요집회**

오늘 수요 집회는 주미철 부산본부에서 맡았습니다. 지역 어르신들
이 함께 하기로 했으나, 날씨가 명확하지 않아 일단 주미철 부산본부에
서만 집회를 열기로 했습니다. 오늘은 약간 늦어서 12시 10분 정도에
현장에 도착했습니다. 그런데 우리를 기다리는 반가운(?) 사람들이 많

이 있었습니다. 평소에는 미군 부대 안에서 차량 대기만 하고 있던 경찰이 오늘은 부대 정문 앞을 거의 다 막아서서 집회를 열 장소를 차지하고 있네요. 전투 경찰 50여 명에, 친히 부산진 경찰서 정보과장까지 나오고, 알리지도 않았는데 언론사 기자들까지 나서서 취재를 하려고 대기하고 있었습니다. '그 참, 사람 몇 나오지도 않는데 왜 이리 호들갑일까?' 그러나 그 이유를 곧 알게 되었습니다.

주한미군 하얄리아 부대 측에서 주미철 1인 시위와 평소 집회 장소로 이용되고 있는 이곳 미군부대 정문 앞이 자기들 땅이라며 파란선(블루라인)을 그어 놓고, 그 안에서는 집회나 1인 시위를 하지 못하도록 우리 경찰 측에 막아줄 것을 강력하게 요청을 했던 것입니다. 하, 정말 우끼지도 않는 놈들입니다. 아니 부대 부지를 차지하고 있는 것도 지금 내놓으라고 싸우는 판인데, 이것들이 간뎅이가 붓지 않았다면 어떻게 도로를 지내들 땅이라고 선을 그어놓고, 한국인들은 여기 들어오지 마라, 이렇게 할 수 있단 말입니까? 선만 그으면 미군 놈들 땅이 되는 이 나라의 현실!! 아, 속에서 천불이 나지 않을 수가 없네요.

리인수 부산본부 대표가 놈들의 의도를 알아채고, 일부러 파란 선 안으로 들어갔습니다. 그러자 예상대로 정문 밖까지 나와 있던 미군 헌병 놈들이 나가라고 소리를 질러대는 것입니다. 이에 리인수 대표가 그 놈들에게 달려가며 욕이란 욕을 다 퍼부어 주었습니다. "야 이 개***야" "너 오늘 잘 걸렸다. 너 오늘 죽x 버리겠다" 등등의 '훌륭한 말씀'을 마구 퍼붓자 옆에 있는 경찰들이 달려들어 말리고 난리가 났습니다. 미군 부대 앞은 순식간에 '욕 잔치'가 벌어졌습니다. 리인수 대표 화나니

억수로 무섭대요^^ 안 되겠다 싶었는지 미군 놈들은 일단 뒤로 물러났습니다.

이번에는 리인수 대표가 경찰들을 향해 마이크를 잡고 소리치기 시작했습니다. "경찰 여러분, 여러분이 밟고 막아서 있는 파란 선(블루라인) 위에서 어서 물러나십시오. 미군들이 막아 달랜다고 따라 주면 어떻합니까? 우리는 미군 놈들이 보는 앞에서만큼은 여러분들과 싸우고 싶지 싶습니다. 미군 놈들이 우리끼리 싸우는 모습을 보고 저 뒤에서 웃고 지랄하는 모습을 많이 보았기 때문입니다. 그러니 어서 그 선에서 물러나 주십시오. 우리는 그 선이 있고 없고 신경쓰지도 않습니다만, 이제부터는 일부러라도 파란선 안에서 집회를 해야 되겠습니다. 미군 놈들이 선만 그으면 자기 땅이 되는 겁니까? 한 번 더 말씀드립니다. 경찰 여러분들은 어서 그 선에서 물러나 주시고 집회를 할 수 있도록 협조하여 주십시오."

리인수 대표의 말을 듣고, 한 경찰 간부가 수긍을 하는 듯이 고개를 끄덕 끄덕 하였습니다. 특히 리 대표가 "우리는 미군 놈들이 보는 앞에서 경찰들과 싸우고 싶지 않다"라고 말에 것에 감동(!)을 받은 거 같습니다(아니라고라? 꿈깨라고요?? 하긴. 경찰에다 그런 기대를 하는 것이 어째 좀⋯). 어쨌든 잠시 후 경찰들은 자신들이 지키던 파란선에서 물러나 저쪽 정문 철제문 앞에서 대기하게 되었습니다.

이제 정상적인 집회가 시작되었습니다. 집회라고 부르기엔 민망할 정도로 사람 수는 적었지만, 지나가는 차량 운전자들을 향해 리인수 대표가 주한미군을 규탄하는 연설을 힘차게 시작하였습니다.

오늘 역시 많은 차량 운전자들이 경적을 울리며 박수를 보내주었습니다. 집회를 진행하는 도중에 경찰들이 옆으로 살짝 와서 "미군 부대장이 여잔데 우리 실정을 아무 것도 모른다. 너무 한다" 등 '위로하는 척' 생색을 냈습니다. 하긴 그들 마음속에도 민족의식이 있기 있겠지요?

오늘의 집회는 싸움으로 시작해서 경찰의 따뜻한 위로(?)를 받는 것으로 끝났습니다. 아참, 웬일인지 중앙일보 기자도 현장에 나왔네요.

＊덧말 : 부산 지역의 시민사회단체 관계자 여러분, 수요 집회에 많은 관심을 가져 주십시오. 미군 부대 몰아내는 일이 어디 주미철 부산본부만의 일입니꺼? 어차피 회원들은 낮 시간에는 거의 나오지 못합니다. 사무실에 있는 단체 활동가들이라도 나와서 같이 좀 하십시더 부탁해여~.

주한미군철수국민운동 부산본부 http://www.onekorea.net

(☎ 051-851-0325 전자우편 : onekorea21@onekorea.net

3. 사할린 한인 추모관 건립

러시아 사할린에는 일제강점기사할린징용희생자추모관이 들어서 있다. 여기에는 일제 강점하 징용 동포와 그 후손들 위패 약 7천기가 안치되어 있다. 필자가 처음으로 추모관 건립 구상을 하여 마침내 건립시켜 낸 역사적인 건물이다. 물론 한겨레신문과 한겨레통일문화재단 등 많은 사람들의 도움과 부산우리민족서로돕기운동 대표님들의 헌신이 더 컸다. 특히 우리 단체 공동대표로 사할린에서 아파트 건설 사업을 하는 현덕수 회장이 건축비 전액을 부담하여 자비로 건립을 하였다. 현 회장의 훌륭한 결단으로 이루어낸 추모관 준공은 우리 역사의 한 페이지를 장식할 것이다. 이 추모관을 건립하기 위한 사전 정지 작업의 일환으로 2017년 9월에 블라디보스톡에서 개최되는 동방포럼에 참석하게 되는 문재인 대통령에게 보낸 당시의 호소문 전문을 여기 소개해 보려고 한다.

사할린 동포들이 문재인 대통령께 호소합니다!
– 통한의 땅, 사할린을 방문해 주십시오

온 국민의 여망을 안고 대통령에 당선된 문재인 대통령께 다시 한 번 축하와 감사를 드립니다. 대통령께서는 대한민국 국민들의 위대한 촛불혁명을 통해서 선출되신 자랑스러운 대통령입니다. 사할린 동포들 역시 문재인 대통령의 탄생을 자신의 일처럼 기뻐하고 있습니다.

존경하는 문재인 대통령님! 러시아 사할린을 방문해 주십시오. 대통령께서는 푸틴 대통령의 초청으로 오는 9월 6일 블라디보스톡을 방문하는 것으로 알고 있습니다. 그 귀국길에 사할린을 들러주실 것을 부탁드립니다.

일제 강점기가 끝난 1945년 8월 15일 해방 이후에도 4만 여명이 넘는 사할린 강제 징용 동포들은 꿈에서도 그리던 고국으로 한 명도 귀환하지 못했습니다. 당시 우리 동포들은 고국으로 돌아가기 위해 사할린의 작은 항구 오토마리(지금의 코르샤코프)로 몰려들었습니다. 그러나 항구에 도착한 일본 배는 일본인으로 확인된 사람들만 태우고 자신들이 강제로 끌고 온 조선인들은 일본 국민이 아니라는 이유로 항구에 팽개쳐 버렸습니다.

하루, 이틀, 일주일, 한 달, 두 달이 가도 돌아오지 않는 배를 기다리고 기다리다 일찍 온 추위에 얼어 죽고 굶어 죽고 병들어 죽은 사람들이 무려 4천여 명에 이르렀습니다. 당시 그 항구를 가득 메웠던 살아 남은 조선인들은 꼼짝없이 사할린에 갇혀 눌러 앉게 되었고 그 후손들이 이제는 4세까지 이어져 지금은 러시아 국민으로 살아가고 있습니다. 4만 여명이 넘는 강제 징용 동포들이 해방된 조국에 아무도 돌아오지 못하게 되었던 것입니다. 그 피맺힌 한을 생각하면 지금도 눈물이 앞을 가립니다.

학교를 마치고 집으로 돌아가는 길에 뒤에서 오는 트럭에 느닷없이 태워져 사할린까지 끌려가 강제노동에 시달리다가 죽은 청년, 고요한 새벽에 집으로 들이 닥친 일제 순사와 친일파들에게 끌려가지 않으려고 저항하다 그야말로 개 패듯 두들겨 맞고 질질 끌려간 이제 막 사춘기를 지난 산골 소년, 혹독한 강제노동을 견디다 못해 탈출하다 잡혀와 1주일 동안 일제 탄광 노무계원들에게 고문을 당한 끝에 평생을 불구로 살다 쓸쓸히 죽어간 경상도 출신의 어느 총각, 무덤도 없이 버려져 지금은 어느 하늘 어느 산 아래 묻혀 있는지도 모를 흔적 없이 사라져간 수많은 사할린 강제 징용 동포들! 살아서는 혹독한 노동에 시달리다 죽어서는 그 이름조차 기억해 주는 이 하나 없는 무주고혼의 수많은 영혼들이 아직도 사할린 하늘 아래 떠돌고 있습니다. 일제로부터 해방된 이후 지금까지 대한민국 그 어느 정부도 사할린 동포들에게는 관심을 갖지 않았습니다.

존경하는 문재인 대통령님! 블라디보스톡에서 귀국 하는 길에 이 통한의 땅 사할린을 방문해 주십시오. 일제 강점기 사할린 강제 징용 동포들이 가장 많이 묻혀 있는 유즈노사할린스크 제1공동묘역에 들러주십시오. 그리하여 억울하게 생을 마감한 수많은 동포들의 영혼을 달래주시고, 현재 사할린에서 살아가는 우리 동포들, 한민족의 핏줄임을 한시도 잊지 않고 살아가는 우리 동포들에게도 위로의 말씀을 전해 주십시오!

대통령께서 사할린을 방문하시면 대한민국 정부 수립이후 최초로 사할린을 방문한 모국의 대통령이 되는 것입니다. 그동안 아무도 관심을 갖지 않았던 사할린 동포들에 대한 대한민국 정부차원에서 모국이 존재함을 공식적으로 알리는 계기가 되는 것입니다.

대통령님의 방문은 사할린 동포들이 자신의 뿌리에 대한 깊은 인식과 함께 더 당당한 러시아 사회의 일원으로 자리매김 하게 되는 계기도 될 것입니다. 또한 이것은 한-러 우호 증진에도 크게 기여하게 되는 것입니다. 대통령님의 방문을 기원하며 좋은 소식 기다리고 있겠습니다. 늘 건강하십시오. 감사합니다.

2017. 7. 11.

사단법인 사할린한인역사기념사업회(이사장 대전광수사 주지 무원스님), 사단법인 부산우리민족서로돕기운동(상임공동대표 조기종/노무현재단 부산지역위원회 대표), 사단법인 사할린州 한국한인회(회장 현덕수, 사할린 SSD그룹 회장), 사단법인 사할린州 한인협회(회장 박순옥), 송기인 신부, 김동수 박사(김동수 내과원장), 배다지(부산 민족광장 상임대표), 하일민(부산대 명예교수), 이태일(前동아대 총장), 혜총스님(前조계종 포교원장, 現조계사 성역화추진위원장), 정각 스님(부산 영도 미륭사 회주), 김홍주 (부산퇴직교사협의회), 이정이(6.15부산본부 상임대표), 방영식(한사랑 교회 목사), 최우 식(민족공장 공동대표), 문정현(서봉 리사이클 회장), 이청산(前 부산민예총 이사장), 이 규정(前 부산민주항쟁기념사업회 이사장), 김종세(민주공원 관장), 이 영(前부산광역시 의회 의장), 김재규(前 부산민주항쟁기념사업회 이사장), 차상조(부산광역시 치과의사 회 부회장, 로덴치과 남구점 원장), 김종민(부산참여자치시민연대 공동대표, 재송부부 치과 원장), 백승용(삼주그룹 회장), 문창섭(삼덕통상 회장), 서금성(한겨레신문 부산지 역 주주독자클럽 회장), 정홍섭(동명대학교 총장), 백영제(동명대학교 교수), 박명숙(대 한민국 최초 여자 국가대표 스키선수), 김필곤(부광농산유통주식회사 대표), 최상록(화 랑영농조합 대표), 김필희(삼광사 신도회 부산진구회장, 진진주식회사 대표), 박철야(부 산시 사할린 영주귀국자회 회장)

이런 과정을 거쳐 필자가 사무총장으로 있는 부산우리민족서로돕 기운동과 사할린한인역사기념사업회는 추모관 건립에 본격적으로 나 서게 되었다.

건립 취지[4]

일제는 1931년 만주 사변을 일으켜 본격적인 중국 침략의 길로 들 어선다. 일제가 침략 전쟁을 확대하면서 조선인들의 고통은 더욱 심해 졌다. 전쟁터로 끌려가 총알받이가 되고 군수공장이나 비행장 건설, 광 산, 탄광, 벌목장, 도로 건설 등으로 강제 동원되었다. 조선인들이 끌

---

4. 추모관 건립 백서에서 인용

려간 곳은 중국, 일본 본토, 남사할린, 동남아시아 등 곳곳이다.

일제는 1937년 중-일 전쟁 후부터는 국가총동원법을 제정하고 1945년 7월까지 113만 명~146만 명의 조선인들을 징병·징용했다. 강제 동원된 조선인들의 연령은 성인부터 심지어 지금의 초등학생 정도의 어린이들도 포함되어 있었다.

1944년에는 〈여자 정신대 근무령〉이라는 것을 만들어 12세~40세의 여성 수십만 명을 군수공장으로 끌고 가서 강제 노역을 시켰으며, 한편으로는 전쟁터로 보내 일본군의 성노예로 삼는 만행을 저질렀다.

1990년 6월, 일본 정부가 밝힌 일제 강점기 징병·징용 조선인들의 숫자는 66만 7천6백48명이다. 숫자의 축소 여부는 차치하고 일본은 이들에 대한 그 어떠한 배상도 하지 않고 있다.

한편 2015년 7월 21일 미쓰비시 중공업은 2차 세계대전 당시 강제

징용된 900여 명의 미국 징용 피해자들에게는 공식 사과를 했지만 한 국인 강제 징용자들에 대해서는 그 어떠한 사과조차 하지 않았다.

1945년 8월 15일 일제의 항복 선언으로 조선이 해방되었지만 남사 할린(당시 북 사할린은 소련령)으로 끌려간 조선 사람들은 한 명도 돌 아오지 못했다. 해방 이후 중국 쪽이나 일본 등으로 끌려간 동포들은 우여곡절 끝에 돌아온 분들이 많지만, 물론 현지에서 죽거나 일본군에 의해 학살당한 사람들도 많다. 그런데 유일하게 공식적으로 한 명도 돌 아오지 못한 지역이 바로 사할린으로 징용된 조선 사람들이다.

다른 지역도 마찬가지였지만 일제 때 사할린으로 끌려간 사람들의 대다수는 총각들이었다. 일부는 가족들과 함께 간 경우가 있었는데, 이 는 일제의 간계에 속은 경우이다. 총각으로 끌려간 사람들은 사망할 당 시에도 대부분 총각이었다. 그래서 그들은 죽은 후에도 아무도 돌보는

이가 없다. 무덤은 산 속에 아무렇게나 방치되어 있으며, 어떤 무덤은 글씨를 알아볼 수 없을 정도여서 이름조차 알 수가 없다. 살아서는 일본 제국주의자들에 의해 강제 노동에 시달리다 죽어서는 그 무덤조차 아무도 돌보는 이 없는 참으로 안타까운 사람들이다. 그들 무연고자들의 넋이라도 달래드리려고 본인이 사무총장으로 있는 부산우리민족서로돕기운동에서 추모관을 건립하게 된 것이다. 이 추모관 건립에 사할린 현지 사업가 현덕수 회장의 공이 99% 임을 이 자리를 빌려 다시 한 번 감사드린다.

추모관을 건립하면서 우리가 기대한 것은 다음과 같다. 일제 강점기 때 총각으로 끌려갔다 총각으로 희생된 사람들은 현재는 국내에 연고가 없는 분들이며, 현지에서도 무덤이 관리가 안 되어 그대로 방치되어 있다. 추모관은 이들의 영혼을 달래는 공간으로 자리매김하게 될 것이다. 다음으로는 사할린 현지를 방문하는 분들이, 일제 강점기 때 희생된 분들을 제대로 참배할 수 있는 공간이 없다는 사실을 알고 부산우리민족서로돕기운동에서 2015년에 합동추모비를 건립하는데 이제 다시 추모관이 건립됨으로서 정기적이고 안정적으로 추모 행사를 할 수 있는 공간이 마련된 것이다. 세 번째는 추모관은 사할린을 방문한 분들이나 현지 사할린 동포들에게 우리의 아픈 역사를 소개하고 교훈으로

부모 잃은 자식의 슬픔은 한평생이지만,
조국 잃은 민족의 통한은 만년을 간다.
사할린에 끌려가
강제노동을 당하다 죽어간
원통한 넋 7천4백 위를 여기 모심은
단순한 위령만이 아니라
민족의 통한을
만년에 걸쳐 기억하고자 함이다.

조정래

추모관 입구에 걸린 조정래 작가의 글

삼기 위한 산교육의 장으로 기능할 수 있을 것이다. 또한 사할린에는 여러 민족이 살고 있는데, 추모관에 현지 러시아인들도 정기적으로 초청하여 한국의 문화와 역사를 소개함으로서 서로에 대한 이해의 폭을 넓히고 더불어 살아가는 공동체의 일원으로서 한−러 우호 증진과 신뢰를 쌓는 공간이 될 것으로 기대를 한다. 그리고 추모관을 매개로 사할린 사회의 모든 동포들이 단결하고 협력하여, 민족의 정체성을 잃지 않으면서도 러시아 사회의 당당한 일원으로 자리매김할 수 있도록 하는 정신적 토대가 될 것으로 기대해 본다.

앞서 언급했지만 이 추모관 건립 추진은 부산우리민족서로돕기운동에서 시작했지만, 실제 건립은 사할린 SSD 그룹의 현덕수 회장이 개인 비용을 부담하여 준공을 하게 된 것이다. 이는 사할린 한국 교민들의 위상을 드높인 진정한 애국애족의 발현이며 후세에 널리 존경받을 만한 일이라 생각한다.

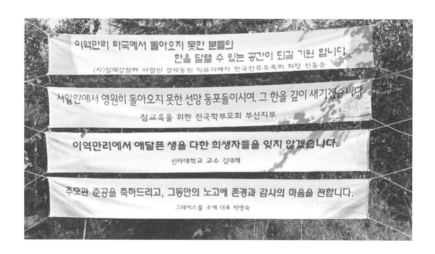

4. 국회 도서관 부산관 유치

일본 교토에는 일본 국회 도서관의 분관인 간사이관이 있다. 이 도서관은 본관의 보관 능력 한계에 따라 추진되었으나, 21세기 고도 정보화 사회에 따른 도서관 기능의 첨단화와 학술 정보유통 흐름을 선도하겠다는 계획에 따라 2002년 문을 열었다. 국회 도서관의 분관을 두는 나라는 일본뿐만 아니라 미국, 영국, 독일의 사례도 있다.

21세기는 정보지식이 생산성과 경쟁력을 결정하는 핵심요인으로 자리 잡은 고도의 정보지식기반사회이다. 국가나 각 지자체들이 연구개발이나 과학기술 기반 형성에 총력을 기울이는 것도 이 때문이다. 하지만 부산의 정보 지식기반역량은 참으로 부끄러운 수준에 있다.

한 연구에 따르면 1981년 이후 30년 동안 지역 간 지식창출 활동 실태를 보면 특허 점유율이 서울 39.8%, 경기 32.8%인 반면 부산은 2.1%에 불과해 대전 5.4%에도 크게 못 미친다. 이런 상황에서 국회도서관 부산관 건립을 위한 공사가 강서구 명지동 근린공원 부지에서 시작되었다는 것은 너무나 반가운 소식이 아닐 수 없다. 부산지역이 정보지식

거점도시로 발전할 수 있는 기회가 될 것으로 생각한다.

　강서구 명지동에 자리 잡을 제2국회도서관은 서울 여의도 국회 내 협소한 공간적 제한으로 발전시키기 어려운 전자도서관업무, 클라우딩 서비스, 연구중심도서관, 아시아·태평양정보센터, 도서관(Library)·기록관(Archives)·박물관(Museum) 통합의 라키비움(Larchiveum) 운영, 의정 체험의 의회민주주의 교육장 등으로 활용할 수 있다는 측면에서 우리나라 지식플랫폼 구축의 혁명을 가져올 수 있을 것이다. 일본 국회도서관 간사이관에서 보듯 국회도서관 명지동 부산관은 강서구가 문화학술연구의 거점 지역로서 발전할 수 있는 계기가 될 것이 틀림없다. 아울러 "서울의 국회도서관, 국립중앙도서관, 세종시 국립세종도서관, 광주 아시아문화전당과 더불어 2+3의 브레인 허브(Brain Hub)들 간 네트워크를 완성시키고 차세대형 국가도서관으로서 핵심적 역할을 수행" 할 수 있을 것이다.[5]

　지난 5월 17일, 강서구 명지동 근린공원 부지에서 국회도서관 부산관 건립을 위한 기공식이 있었다. 그런데 이 부산관 유치에 지역 국회의원인 김모씨가 마치 자기가 유치를 다 한 것처럼 여기저기 홍보를 해대고 있어 필자를 비롯한 우리 유치위원들은 매우 불쾌했다. 결론부터 말하자면 김 씨는 국회 도서관 부산 유치에 아무런 공헌을 한 바 없다. 그는 단지 명지동으로 부지가 확정된 후부터 자신의 지역구에 도서관이 들어선다는 이유로 유치의 공을 자신이 다 한 것처럼 보이도록 홍보를 잘 하고 있을 뿐이었다. 이에 대해 내가 속해 있는 유치위원회에서는 성명을 발표하여 김 씨를 강력히 규탄하였다.

참고로 국회도서관 부산관 유치 범시민위원회[6] 조직 구성을 짧게 말해 보면, 열 다섯 분 정도의 유치 운영위원들이 있고 ▲국회 도서관 부산유치 추진위원장은 필자가 사무총장으로 있는 부산우리민족서로 돕기운동 상임대표 무원스님(당시 삼광사 주지)이 맡았다. 필자는 유치위원회 운영위원으로 정의화 국회의장과 활발히 소통을 하였다.

도서관을 유치해 낸 공식 기구는 유치위원회이다. 그 분들이 맨 처음 유치 발의를 시작하고 나중에 우리 단체가 유치위원회에 합류하게 되면서, 그 후에 실제로 유치운동이 잘 진행되어갔다. 왜냐면 당시 정의화 국회의장이 의장으로 선출되기 직전까지 우리민족서로돕기운동 공동대표를 15년 동안 맡아온 관계로 우리 단체가 부산 유치에 보이지 않게 크게 기여를 한 것이다. 이 자리에서 그 자세한 내막을 일일이 거론하는 것은 유치위원회의 공로를 축소 할 수 있기 때문에 적절하지 않은 것 같아 생략한다.

그런데 처음에는 도서관이 지금의 부산시민공원에 들어서려고 했으나, 유치위원 중 유일하게 필자가 한겨레와 인터뷰를 하는 등 강력하게 반대하며 시민공원은 더 이상 부지로 거론되지 않았다.

명지동으로 도서관 부지가 결정된 것은 강서 근무 경험이 있는 부산시 공무원의 제안에 따른 것으로 알고 있다. 이랬든 저랬든 지역구 국회의원 김 씨는 아무런 역할을 하지 않았다. 아래는 시민위원회 명의로 발표된 성명이다.

---

5. 초의수 www.kookje.co.kr/mobile/view.asp?gbn=v&code=1700&key=20150113.22030190311
6. 부산 유치가 결정 후에는 유치위원회에서 '국회도서관 부산관 조성 범시민위원회'로 바뀜.

김도읍 의원의 보도자료에 대한 국회도서관 부산관 조성 범시민위원회의 입장

－김도읍 의원이 최근 2차례(2019년 4월 23일, 5월 16일)의 보도자
　료를 통해 국회도서관 부산분관을 본인이 강서에 유치한 것이라
　고 주장한 사항에 대하여

1. 국회도서관 부산분관의 유치를 위해 시민위는 국회도서관인 만
큼 지역의 정치인을 포함해 많은 국회의원들을 설득하여 도움을 받으
려고 노력을 해왔다. 2015년 국가예산 반영의 어려움을 겪을 때에도 소
관 상임위에 협조를 요청하고, 예비타당성 검토 등 많은 과제들이 있을
때마다 발 벗고 나섰다. 2015년 10월 23일에는 당시 새정치민주연합
문재인 대표와 간담회를 가지고 예산 요청을 한 바도 있다. 나성린 전
의원을 삼광사에서 면담하고 계획을 설명하고 지원을 요청하기도 하였
으며, 이헌승 의원(2015년 2월 1일), 서병수 시장(2015년 2월 9일)과의
면담도 진행하였다. 그러나 일부 정치인들은 면담요청에도 응하지 않
아 협조를 받기가 매우 힘들었다. 따라서 국회도서관 부산분관의 유치
가 결정되기까지 정치인들의 도움은 매우 한정적이었다.

2. 입지와 관련하여 2016년 3월 명지신도시로 결정되기 전까지는
복수의 후보지가 거론되고 있었으며 부산시민공원내 부지가 암묵적으

로 유력한 대안으로 부각되고 있었고, 국회에서도 그렇게 생각하고 있었다. 그러나 시민위는 입지와 관련하여 부산시에 자문을 하면서 시민공원 부지는 국제아트센터의 계획 등으로 추가 부지조성에 문제가 많고, 용도변경의 절차적 복잡성 등으로 이를 예정부지로 추진할 경우 국회도서관 부산분관이 자칫 무산될 위기에 처해질 가능성도 있다고 판단하였다. 게다가 시민공원 내에 국립아트센트와 국회도서관이 모두 입지할 경우 사실상 공원기능을 해칠 것을 크게 우려하였다.

3. 부산분관 건립의 주체는 국회이지만 입지검토 및 제안은 부산시의 역할이었다. 입지와 관련하여 시청앞 부지 등 다양한 대안을 놓고 검토하던 중 당시 경제자유구역청(현재 부산분관 입지 인근) 근무경험이 있었던 부산시 안종일 기획행정관이 명지 신도시 내 부지를 제안했고, 시민위가 함께 검토하였으며, 현장 답사를 하고 해당부지의 향후

확장 가능성을 높이 평가하여 이를 추천하기로 하였다. 2016년 2월 26일 시민위 대표는 시민공원 부지를 강하게 염두에 두고 있었던 국회의장을 방문하여 보고하고 설명하였다. 마침내 3월 초에 국회의장 및 국회도서관 측에서 명지신도시로 입지를 결정하였다. 입지결정 과정에서 김도읍 의원은 제안도 없었을 뿐만 아니라 참여한 바도 전혀 없었다.

4. 국회도서관 부산분관은 강서구에 입지함으로 가까이 거주하는 구민들이 더 많은 혜택을 누리게 되는 것은 당연하며 그러한 편익의 기회에 대해 우리 시민위는 매우 기쁘게 생각하고 있다. 하지만 국회도서관 부산분관은 일차적으로 강서구민을 위한 것이 아니라 국회도서관의 기능, 국가지식경쟁력 강화와 지식의 지역균형발전 등 높은 가치를 위한 것이며, 이를 위한 비전을 서로 제안하고 함께 노력하는 것이 더욱 중요하다. 부산 특히 강서의 문제로 좁히게 되면 향후 확장에 제약이 될 수도 있을 뿐 아니라 국회도서관의 발전에도 제약이 될 것이라 사료된다. 국회도서관은 어디까지나 국가적 지식보고(寶庫)를 만드는 것임을 강조하고 싶다.

5. 그동안 김도읍 의원이 지속적으로 국회도서관의 유치와 강서입지에 대해 자신의 업적으로 홍보하고 있는 것을 지켜보고 있으며, 모든 사람의 긍지와 가치의 성과가 되어야 할 국회도서관의 의미를 훼손할 수 있는 김의원실의 행동에 대해 우리 시민위는 깊은 우려와 실망을 갖고 있다. 따라서 그 간의 잘못된 홍보에 대해 사실을 바로잡고 앞으로

는 동일한 행동을 금해주기를 요청한다. 뿐만 아니라 국회도서관 분관을 위해 가장 큰 기회를 마련해 준 전·현직 국회의장(정의화, 정세균, 문희상)과 어떠한 직위도 없이 백의종군으로 국회도서관 유치를 위해 아이디어를 내고, 자신들의 비용과 시간 등 모든 것을 내어놓으며 노력한 시민위원회에 대한 정당한 평가를 하길 촉구한다.

2019. 5. 20
국회도서관 부산관 조성 범시민위원회 일동

국회도서관 부산관의 유치 경과[7]

국회도서관 부산관 유치 추진 과정을 좀 알려야 할 것 같다. 2014년 8월에 정의화 국회의장이 국회도서관 부산관 건립을 검토할 것을 관련 부서에 지시를 했다. 이에 따라 부산 지역 시민사회는 국회도서관 부산 유치범시민대책위원회 및 유치 실무팀을 구성하게 되었다. 12월 24일에는 출범식과 함께 토론회를 개최하였다.

2015년에는 예비타당성 조사를 위한 기본 용역, 법규 개정, 예비타당성 신청 및 조사, 기본 설계 및 실시 설계 예산 확보를 추진하게 되었다. 2015년 10월 23일 당시 문재인 민주당 대표와 범시민대책위는 부산관 건립 예산 반영에 합의를 하게 된다. 2016년 2월 26일에는 범시민대책위가 정의화 의장을 예방하여 부산관의 입지를 명지국제신도시로 해 줄 것을 요청하였다. 그에 따라 정 의장은 3월초 이를 수락하게

---

7. 2019년 상반기에 개최된 신라대 초의수 교수 초청 강연회 자료를 인용, 재정리해 보았다.

되었다.

범시민유치위는 2016년 6월 3일 부산시청 홀에서 시민보고 대회 및 토론회를 개최하였고, 그리고 마침내 2019년 5월 17일 국회도서관 부산관 기공식에 명지 근린공원에서 거행되었다.

여기서 잠깐 2015년 입지 관련하여 주요 쟁점을 설명할 필요가 있을 것 같다. 4월~12월 간 주요 후보지는 부산시민공원, 부산 시청 앞 공공부지, 구 서면 중앙중학교 부지, 동구 좌천동, 명지동 문화시설 부지, 서구 도시계획시설 부지, 명지동 학교 시설부지 등 총 7개의 부지가 거론되었다. 이 중에서 부산시민공원은 오랫동안 시민운동으로 미군부대를 반환 받아 조성한 공원으로 입지 조건이나 시민들의 접근성이 좋으나 시민들의 정서상 거기에 또 다시 거대한 토목공사를 한다는 것은 정말 수긍하기 힘든 것이었다. 그에 따라 검토 부지에서 제외가 되었고, 12월 경 강서구 근무 경험이 있는 부산시 안종일씨의 제안으로 현재의 명지동 부지를 제안 받아 검토가 이루어져서 가장 적합하다는 결론을 내리게 되었다.

우리 범시민대책위는 그간 부산 지역 국회의원들과 면담 등을 요청했으나 모두 연락이 없었음을 이 자리에서 분명히 밝힌다. 특히 강서구 지역 김 모 의원과의 면담 또한 전혀 이루어지지 않았음을 밝힌다.

부산관의 기능과 역할
국회도서관 부산관은 다음의 기능을 담당하게 될 것으로 보인다. 국가적으로 중요한 문서의 보존과 국회입법 활동 지원, 각종 입법 자료

관리 및 제공 지원, 교육 기관 및 공공서비스, 입법부 포함 공공기록물의 관리, 국내외 기록정보 자료와 의정기록물의 수집과 관리 등이다.

좀 더 세부적으로 살펴본다면, 복합 문화 기능 및 국회 홍보기능 수행, 학술 도서관으로 인문사회과학 중심 특화된 기능을 가진 부산 지역의 중심지로서 자리 매김하게 될 것으로 기대가 된다. 그리고 지방의회와 관련된 자료를 체계적으로 보존, 관리하고 지원하는 기능도 수행함으로서 지방의회 활성화를 위한 정보 센터의 역할도 해야 할 것으로 기대를 한다.

국회도서관 부산관이 명지동에 들어섬으로 우리 지역은 향후 지식정보도시, 책 읽는 독서 중심 도시, 국가 백년대계인 국가 균형 발전의 견인차 역할을 하는 미래 명품 도시가 될 것으로 확신한다.

V

시사
논평

농촌 근무 대체 군복무제 도입으로 농업을 살려야

　아무리 과학기술이 발달해도 절대 변할 수 없는 것이 있다. 사람은 먹지 않으면 살 수 없다는 사실이다. 그런데 우리는 그 먹을거리를 어디에서 공급 받고 있는지를 가끔 잊고 사는 듯하다. 왜냐면, 그 공급지인 농가가 지금 붕괴될 위기에 놓여 있음에도 불구하고 아무런 대책이 없는 것 같아 하는 말이다.

　통계청에 따르면 고령으로 농업을 포기하거나 전업해 농가 인구 감소세가 지속되고 있다. 농가 인구 분포를 보면 70세 이상이 전체의 32.2%(74만 5천 명)로 가장 많다. 이들 인구수는 2017년보다 2.0% 증가했다. 그러나 60대 이하 모든 나이 구간에서는 인구가 감소했다. 이로 인해 농가의 고령인구(65세 이상) 비율은 44.7%로 2017년에 비해 2.2% 포인트 증가했다. 이는 전국 고령 인구 비율(14.3%)의 3배를 웃도는 것이다. 60대(28.3%)와 70세 이상을 합한 비율은 58.0%였다. 즉 농촌 인구 10명 중 6명은 60세 이상인 셈이다.

　농가 경영주 평균 연령도 67.7세로 전년보다 0.7세 올라갔다. 경영주 평균 연령은 2015년 65.6세, 2016년 66.3세, 2017년 67.0세 등으로 빠르게 높아지고 있다. 농가의 주된 가구 유형은 2인 가구로 전체 농가의 54.8%(56만 가구)를 차지했다.

　우리 농촌이 현재 상태로 계속가면 향후 20년 이내는 농사지을 사람이 없어서 텅 비게 된다. 물론 일부 기업 농업이 있긴 하지만, 그것만으로는 무너져 가고 있는 먹거리 생산 체계를 안정화하기에는 턱도 없다. 식량은 우리의 생존과 직결되는 문제이고, 국가 안보와도 떨래야 뗄 수 없는 핵심자원이다. 그래서 과감하게 제안을 하지 않을 수 없다. 이제 정부가 책임지고 농업을 이어가야 한다고 생각한다. 농업은 그냥 단순한 1차 산업이라는 생각을 버리고, 지금부터는 국가 전략산업, 기간산업이라는 새로운 인식이 필요하다. 세상이 아무리 발전해도 먹지 않으면 살 수 없고, 먹는 문제는 인류가 인류로서의 명맥을 유지하는 데 필수적인 요소이기 때문이다.

정부가 농업을 책임지는 문제는 군 입대를 앞둔 젊은이들을 농촌으로 보내 거기서 2년 간 농사일을 하는 것을 의무화해 군복무로 인정해주는 제도를 도입하여 해결할 수 있다고 확신한다. 이 문제를 도입하면 몇 가지 장점이 있다고 본다.

1		2,335,000
2		1,400,000
3		1,325,000
4		766,055
5		700,000
6		625,000
7		620,000
8		545,000
9		512,000
10		476,000

세계 주요 국가 군인 숫자[1]

1. 출처 : 네이버 검색
2. 국방부는 상비 병력 수를 2022년까지 50만명으로 줄일 계획을 발표 : 〈2018년 국방백서〉

첫째, 군비 축소에 기여한다는 점이다. 위 그림에서 알 수 있듯이 현재 대한민국 군대 숫자는 약 62만 명(2018년 말 현재는 59만 9천 명)이다. 북한의 군인 숫자와 더하면 130만 명이 넘는다. 이 좁은 한반도에서 군인 숫자가 거의 미국에 가깝다는 사실이 놀랍지 않은가. 이제 군축을 해야 한다. 군축의 가장 첫 번째는 군인들의 숫자를 줄이는 것이다. 다만 총 인원을 50만 명[2]으로 하되, 정규군 숫자만 20만 명으로 줄여서 완전히 직업 군인화로 일자리를 창출하고, 나머지는 30만 명은 근무 지역을 농촌으로 하여 그곳에서 2년 동안 의무적으로 농사를 짓게 함으로 군 복무를 대체하게 하는 것이다. 그렇게 함으로 젊은이들에게 자신들의 입으로 들어가는 먹거리와 흙에 대한 소중함을 체험할 수 있는 기회를 제공해 준다면 그보다 더 좋은 경험도 없을 것이다. 2년 의무 복무가 끝나면 또 다른 대체 인력이 농촌으로 들어와 농사를 짓고, 그렇게 함으로서 식량을 안정적으로 생산하여 먹거리 공급에 대한 불확실성을 제거해 나가면 된다. 농촌 인구 고령화에 따른 농업의 붕괴를 막는 길은 이것 밖에 없다고 나는 단언한다. 농업도 살리고 젊은이들에게 농사일도 체험하게 함으로서 식량주권이라는 개념도 심어준다면 이것야말로 일거양득의 국가 정책이 아니겠는가.

둘째, 한반도 평화에 기여한다는 점이다. 군인 수를 줄인다는 것은 무기를 녹여 쟁기를 만드는 것과 같은 이치다.

"무리가 그 칼을 쳐서 보습을 만들고 창을 쳐서 낫을 만들 것이며 이 나라와 저 나라가 다시는 칼을 들고 서로 치지 아니하며 다시는 전쟁을 연습하지 아니하고 각 사람이 자기 포도나무 아래와 자기 무화과나무 아래에 앉을 것이라 그들을 두렵게 할 자가 없으리니 이는 만군의 여호와의 입이 이같이 말씀하셨음이라"는 성경 말씀도 있다. 군인 수를 줄인다는 것은 군인 1명에게 지급되는 총과 칼을 없애는 것이 된다. 이것은 곧 한반도의 군사적 긴장을 줄이려는 가장 확실한 노력을 상대방에게 보여주는 평화의 메시지가 되는 것이다. 이에 따라 아마도 북쪽의 군인 숫자도 감축하고 군복무 기간 축소 효과도 나타나게 될 것이다. 그렇게 되면 북쪽의 젊은이들이 다른 직업에 종사하게 되어 그들 나름대로 국가 발전에 좀 더 많이 이바지 하게 될 것이다.

셋째, 청년 일자리를 늘이는 효과가 있다. 현재의 징병제는, 나이를 기준으로 보면 젊은이들이 한참 일하고 공부할 때 군에 입대를 해 버림으로서 '단절'이라는 장애물을 만나게 되는 것이다. 사실 가장 혈기 왕성에 나이에 군대에 붙잡아 둔다는 것은 당사자 개인으로서는 굉장히 억울한 측면이 있는 것이다. 오늘 같이 첨단 무기로 싸울 수밖에 없는 시대에서 걸어 다니는 군인 숫자가 그렇게 많을 필요는 없는데, 굳이 60만명이라는 정규군을 유지하여 청춘들의 시간을 뺏을 필요가 없는 것이다. 그렇기 때문에 상비병력 20만 명을 전부 다 직업 군인(부사관 제도)으로 만들어 20만 개의 안정적인 일자리를 만들어 낸다면 모두에게 실질적인 득이 되는 것이다. 요즘 같이 일자리가 부족한 상황에서 한꺼번에 20만개를 창출할 수 있는 직종이 있을까, 군대에서 그런 일을 할 수 있다. 특히 일자리 부족 현상은 대학 졸업자만이 아니라 고졸

이하의 일자리 역시 매우 심각한 상황이다. 학력과 상관없이 국가에서 안정적인 일자리를 제공할 수 있다면 기꺼이 그런 자리를 일부러라도 만들어야 하는 것이다. 그런 일자리를 군대를 통해서 창출할 수 있는 것이다. 이보다 더 좋은 방안은 찾기 힘들 것이다.

넷째, 군대 폭력의 완전한 추방이다. 지금은 많이 사라졌다고 하지만 아직도 군대에서 벌어지는 폭력 행위로 인한 후유증으로 고통을 받고 있는 젊은이들이 많으며, 심지어 사망이 이르는 일도 있어, 그 부모나 유가족들에게 평생의 상처로 남게 되는 일이 종종 발생하고 있다. 이것은 강제로 군대에 데려가는 징병제 탓이 큼을 누구도 부인할 수 없을 것이다. 농사를 짓는 것으로 군복무를 대체하게 되면 이런 일은 거의 사라질 것이다. 직업 군인이 된 병영 내에서도 더 이상 구타나 가혹 행위 등이 발생할 위험이 현저히 줄어들게 되어있다. 일종의 직장 생활인데 징병제처럼 고강도의 긴장과 군기 잡는 식의 압박이 존재할 필요가 없기 때문이다. 혹시 국방부 관계자 지금 글을 본다면 적극적으로 참고해 주었으면 한다.

검찰발 한밤의 쿠데타, 대통령 인사권 대한 도전!

조국 후보자에 대한 청문회를 처음부터 끝까지 다 봤다. 그런데 청문회 도중에 검찰이 조국 후보자의 부인인 정경심 교수를 동양대 표창장 위조 혐의(사문서 위조)로 전격적으로 기소를 했다. 이로서 윤석열 검찰은 더 이상 돌아올 수 없는 다리를 건넜다. 나는 이것이 이 나라 검찰의 저급한 조직 이기주의와 기득권을 지키기 위해 벌인 발악이자 대통령 인사권에 대한 정면 도전이며 항명으로 규정한다.

조국 교수 청문회 일정이 잡히자마자 자한당이 무차별적으로 고발을 했다. 그러자 검찰은 기다리고 있었다는 듯이 서울 부산 등 20여 곳을 동시에 압수 수색하며 자한당의 고발에 즉각적으로 호응을 했다. 이는 통상적인 고발 수사와는 전혀 태도이다. 청문회를 통해서도 밝혀졌지만, 조국 교수 본인과 관련되는 문제는 단 하나도 나타나지 않았다. 동양대 표창장 문제도 동양대 직원으로 15년간 근무했던 두 사람의 공개 증언에서도 드러났듯이 여러 종류의 상장이나 표창장이 있는 것으로 확인되었고, 그런 상장이나 표창장은 그 일을 맡은 해당 교수가 위임에 의해 알아서 발급해 온 것으로 드러났다.

조국 교수 딸이 동양대에서 자원봉사나 인턴을 하지 않은 상태에서 발행했다면 사문서 위조일 수가 있다. 그러나 명백히 실제 업무를 한 것으로 확인되었다. 그것을 바탕으로 위임에 의한 표창장이 주어졌다면 대학 총장이 직접 발행한 것이 아니라 하더라도 결코 사문서 위조에 해당될 수 없다. 재판에 가서도 이것은 100% 무죄가 날 수 밖에 없다! 검찰이 아무리 멍청하다 하더라도 이것을 모를 리가 없다. 그럼에도 불구하고 검찰 입장에서는 청문회가 아무런 성과 없이(?) 끝날 것으로 보이자 조국 장관 임명에 대한 두려움 때문에 발악적으로 무리수를 둔 것이다.

생각해 보자. 20곳 이상을 압수 수색해도 조국 교수 의혹이라는 것을 뒷받침할 그 어떤 증거도 발견하지 못했다. 그런 검찰이 동양대 총장의 신빙성이 영 떨어지는 말 한마디만 믿고 그 부인을 기소함으로서 임명을 방해하려 덤벼든 것이다. 그 많은 동시다발 압수 수색시 증거가 발견되었다면 청문회 도중의 그 야밤이 아니라 낮 시간 동안에도 얼마든지 다른 건으로 기소했을 것이다. 그렇지 않은가?

검찰 발 한밤의 쿠데타! 그런 무리한 기소를 감행한 것은 검찰 개혁의 상징으로 떠오른 직전 민정수석 조국을 법무장관으로 임명하지 못하게 할 흉계가 아니라면 달리 설명할 길이 없다. 아니나 다를까 조중동과 자한당은 '부인이 기소되었는데 어떻게 법무부 장관으로 임명하냐'고 난리를 치고 있다. 검찰이 이것을 노린 것이다. 정말 못된 자들이다.

이제 대통령이 결단해야 한다. 즉각 조국 교수를 임명하는 것과 동시에 대통령의 인사권에 정면 도전하며 항명을 저지른 윤석열 검찰총장을 파면하고 수사 실무 책임자를 경질해야 한다. 아니라고 하지만, 이미 피의사실 유출이라는 범죄를 저지른 그들이다. 그들은 수사를 하는 것이 아니라 정치를 하고 있다. 검사가 수사를 하지 않고 정치를 할 것 같으면 옷을 벗고 자유한국당으로 입당을 하든지 해야지 왜 검사 옷을 입고 있나.

정치검찰이 된 윤석열 검찰을 이대로 방치한다면 앞으로도 그들이 무슨 짓을 할지 모른다. 우리는 이미 노무현 대통령에 대한 검찰의 추악한 '정치'를 충분히 경험했지 않은가.

윤석열이 "사람에게 충성하지 않는다"라고 말한 진짜 이유

개인적으로 검사들을 거의 신뢰하지 않는다. 그가 윤석열(실제 나이 59년생)이라고 해도 마찬가지다. 그래서 내가 쓴 글 중에 윤석렬에 대한 글은 단 한마디도 없다. 이것이 처음이자 마지막 글이다.

윤석렬이 이명박 국정원의 대선 불법 개입 사건을 수사하면서 당시 조영곤 서울중앙지검장(58년생)이 압력을 가했다는 것을 폭로하며 "나는 사람에게 충성하지 않는다"라고 말했던 것으로 기억한다. 그 말 때문에 윤은 많은 사람들로부터 지지를 받았다. 검사로서의 강골 기질과 원칙주의자라는 깊은 인상을 심어주었기 때문이다.

그 때 나는 속으로 웃었다. 윤석렬이 그 말을 왜 했는지 좀 짐작했기 때문이다. 윤석렬이 그런 말을 자연스럽게 할 수 있었던 것은 검사로서의 자부심이나 정의감, 직업윤리에 대한 확고한 신념 등에 기반한 게 결코 아니라고 생각한다. 그는 평검사 시절부터 '윗분'들이 자기보다 대부분 나이도 어리고 평소에도 그들이 후배 검사인 윤석렬을 '형님'이니 '형'으로 불렀기 때문에 윤은 그런 선배 검사들에게 충성할 필요성을 전혀 느끼지 못한 것뿐이다. 일반 회사 다니는 사람들도 마찬가지일 것이다. 자기 보다 한참 어린 친구가 직급이 높다면 당연히 속으로 무시하고 은근히 동급으로 행동하기도 한다. 그러니 충성하는 시늉조차 필요 없는 것이다. 그게 바로 한국 사회다.

윤석렬이 검찰총장으로 지명되자 선배인 붕욱(65년생) 대검 차장은 사표를 냈다. 검사로서 선임자인 '붕'보다 '윤'이 여섯 살이나 많다. 윤석렬은 박근혜 청와대의 민정수석을 지낸 검사 선배에 해당하는 우병우(66년)보다는 7살이나 많고, 박성재(63년생) 전 서울중앙지검장보다는 네 살이 많다. 한상대 전 검찰총장과는 같은 나이인 59년생이고 서울중앙지검장 때 박근혜를 구속한 이영렬은 58년생, 김수남 전 검찰총장과도 같은 나이인 59년생이다. 이들이 잘 나갈 때 윤석렬은 변변치 않은 검사에 불과했다. 그래서 그는 한때 검사를 때려치우고 변호사 생활을 좀 하기도 했다.

대충 이렇게 엉성하게 설명해도 윤석렬의 입에서 '나는 사람에게 충성하지 않는다'는 말이 왜 그렇게 자연스럽게 나왔는지 좀 수긍이 갈 것이다. 윤석렬은 보수적인 사람이다. 그에게 검사 이상도 이하도 기대하지 마라. 그냥 거대한 검찰 기득권을 수호하는 또 하나의 검사일 뿐이다.

조국 청문회를 앞두고 윤석렬 검찰이 후보자 가족과 직간접적으로 관련된 20여 곳을 동시에 군사작전 하듯 압수 수색한 것은 그 어떤 취지나 의도를 가졌던 결코 해서는 안 되는 짓이었다. 청문회가 다 끝나고도 많은 국민들이 의혹 해소가 되지 않았다고 생각한다면 그때해도 늦지 않을 압수 수색이었다. 청문회 전에 압수 수색하지 않으면 부산시청에 보관되어 있는 부산의료원장 임명 관련 서류가 땅으로 꺼지나, 하늘로 증발하나. 부산대학교 의학전문대학원 장학금 지급 내역이나 서울대학교 환경대학원의 장학금 지급 관련 서류 역시 마찬가지이다. 그것은 그냥 협조 공문 하나로도 충분히 확보할 수 있는 데 왜 법원에 영장까지 청구하여 요란스럽게 압수 수색을 벌이나. 검찰이 청문회를 앞

두고 압수수색을 단행한 곳은 거의 대부분 공공기관이다. 그런 기관에 보관된 서류는 하루아침에 증발되지 않는다. 왜 하필이면 청문회 전에 하여 스스로 논란을 자초하는가. 이는 조국을 낙마시키려는 의도가 아니라면 달리 설명할 길이 없다.

윤석렬의 그 같은 행위는 사실상 인사권자인 대통령에 대한 일종의 항명이다. 간이 배 밖으로 나온 짓이다. 버르장머리를 단단히 고쳐놔야 한다. 그러니 이제는 칼 같은 조국의 모습을 기대해 본다.

홍종호 서울대 환경대학원장의 앞뒤 안 맞는 소리

홍 원장은, 조국 교수 딸이 서울대 환경대학원 재학 중에 장학금 800여만 원을 받았다고 했다. 그러면서 잘 사는 집의 자녀가 왜 장학금을 신청했는가, 조국 교수가 딸의 그런 태도를 어떻게 생각했는지 궁금하고, 조국 교수의 평소 발언과 행동이 일치하지 않는 것에 대해 굉장히 의아하다고 일갈했다.

나는 이 자리에서 홍 원장에게 묻고 싶다. 그 장학금 지급에 아무런 문제가 되지 않았으니까 당신들이 그 장학금을 주었을 것이다. 그런데 이제 와서 책임을 따지자면 장학금을 준 환경대학원(동문회) 측을 꾸짖든가 해야지 신청한[3] 어린 학생을 나무라는 태도는 도대체 어디서 배

---

3. 이후 조국 장관의 말에 따르면 딸이 장학금을 신청하지 않은 상태에서 지급된 것으로 확인됨. 동창회에서 지급하는 장학금은 그런 경우가 대부분이라고 함.

워먹은 버릇인가?

사실 그렇다. 부자든 가난하든 자녀들의 심리는 장학금을 받아서 부모님을 기쁘게 해 주고 싶은 마음이 다 있다. 내 개인적인 이야기를 하면, 나도 아이가 그 학교를 다녔다. 전공은 다르다. 장학금을 신청하겠다고 해서 그러라고 했다. 그런데 자격이 안 된다고 통보를 받았다고 한다. 내가 수입이 거의 없지만, 아내가 공무원이라서 지급 대상이 안 된다는 것이다. 그렇지만, 나는 우리 집 형편이 좋지 않은 축에 든다고 생각한다. 실제로 그렇다. 이처럼 신청해도 지급 대상이 안 되는데, 홍 원장이 지금 원장으로 있는 환경대학원은 신청하면 다 주었던 모양이다. 그래 놓고 이제 와서 신청한 학생을 나무라는 태도라니, 참으로 해괴한 논리다.

다니다가 부산대 의학전문대학원으로 갔다? 학부든 대학원이든 학생들이 막상 입학해서 수업내용이나 전공이 마음에 들지 않으면 다른 대학으로 옮겨가려는 심리는 저절로 생긴다. '아 계속 다녀야 하나 말아야 하나' 끊임없이 고민하게 되는 경우가 흔히 있다. 나도 늦은 나이에 대학원 공부를 하고 있지만 그런 마음이 들어 때려치우고 싶은 마음이 하루에 열 두 번도 더 든다. 어른이든 아이든 학생이면 누구나 그런 생각을 할 수 있는 것이다. 때문에 부산대 의전원으로 옮기든 서울대 의전원으로 옮기든 현직 대학교수가 그것을 비난할 이유는 없다고 생각한다. 그리고 그게 왜 조국 후보자를 비난하는 소재로 활용되는가? 참으로 해괴한 일이다.

홍 원장 당신들!! 서울대 환경대학원에서 준 딸의 장학금 문제로 조국 교수가 비난 받아야 할 이유는 없다. 당신들 학교 측이 규정을 그렇게 해 놓았다면 책임은 당신들에게 있는 것이다. 그리고 솔직히 아버지들이 자녀 일을 다 아는 것은 불가능하다. 나도 아이가 근래에만 해도 아직까지 학교를 다니고 있는 줄 착각하고 살았다. 사실은 작년 8월에 졸업해서 일을 하고 있다. 나 같은 경우는 좀 심하지만, 조국 교수도 자녀 일을 일일이 다 알지는 못했을 것이다.

지금 조국 교수에 대한 온갖 비난은 가만히 보면 조국 교수 본인에 해당되는 것은 거의 없다. 나머지도 사실 따지면 보면 도의적 측면에서 좀 아쉬운 부분은 있지만, 장관 임명에는 전혀 문제 될 게 없다고 본다. 조국이 문제라면 전관예우로 월 1억씩, 1년 반 만에 16억 원을 벌어들인 자한당 황교안 대표나, 학원 재벌 딸 나경원, 5·18 모독 김진태 등 자한당의 많은 의원들은 해운대 모래사장에 혀 박고 죽어도 모자랄 것이다.

'평화의 소녀상'이 아니라 '일본군 성노예제 피해 소녀상'이다[4]

25일 자 모 신문 부산지역 소식란을 보니 초량동 일본 영사관 옆 인도에 '일제강제징용노동자상'을 세운다고 한다. 늦은 감이 없지 않지만 조형물 건립이 잘 추진되길 진심으로 바란다. 명칭도 적절하다.

장소가 장소니만큼 '노동자상'은 이미 세워져 있는 소녀상 옆에 자리 잡게 될 것이라고 한다. 우리는 여기서 다시 한번 소녀상의 명칭에 대해 문제 제기를 하지 않을 수 없다. 알려져 있듯이 소녀상은 일제강점기 당시 일본에 의해 저질러진 일본군 성노예제의 만행을 고발하고 피해 당사자들의 아픔을 기억하자는 취지에서 건립되었다. 그런데 하필이면 그 소녀상 조형물의 이름이 '평화의 소녀'다. 이름을 왜 그렇게 지었냐고 물으니까 누군가 답변하기를 '전쟁을 반대하고 평화를 염원하는 뜻'에서 그렇게 지었다고 한다. 뜻이야 좋지만 잘못되어도 한참 잘못된 이름이다.

역사적 조형물에는 역사적 의미가 반드시 담겨있는 명칭을 붙여야 한다. 일본군에 납치되어 성노예로 유린당하고, 죽임을 당하고, 다치는 등 겨우 살아남은 피해자들의 조형물을 만들어서 어떻게 '평화의 소녀'라고 부를 수 있나! 침략자 일본군대가 정의의 전쟁이나 평화의 전쟁이라도 수행했단 말인가? 아무리 시민단체라고 해도 제 정신이면 이름을 그렇게 지을 수 없다.

'평화의 소녀상'이라는 이름에는 역사성이 나타나지 않는다. 고발정신이 없다, 분노도 나타나지 않는다, 일본 정부에 사죄를 촉구하는 의미도 나타나지 않는다. 이름을 제대로 지을 능력이 안 되는 것도 아닌데 왜 그렇게 해놨는지 아무리 생각해도 이해가 안 된다. 의미를 그렇게 제멋대로 부여하여 갖다 붙일 것 같으면, '한반도 평화 통일 소녀상'이라든가 '세계 평화의 소녀상'으로 갖다 붙여도 될 것이다. 말을 하자면 그렇다는 것이다. 그 옆에 세워질 노동자상 이름은 제대로 지었는데

---

4. 2018년 1월 26일자 필자가 논평이다.
5. 이 글은 2017년 4월 16일 밤에 쓴 일기 아닌 일기다.

소녀상은 왜 그렇게 안 되나?

제발, 부탁하건데 오늘이라도 소녀상 조형물의 이름을 '일본군 납치 피해소녀상'이나 '일본군 성노예제 피해소녀상'으로 바꿀 것을 다시 한 번 강력히 촉구한다! 언론도 더는 소녀상을 '평화의 소녀상'으로 표기하는 일이 없도록 해야 한다!

아 세월호, 아이들은 그저 뛰어놀기만 해도 흐뭇한 것을[5]

내가 사는 아파트 바로 윗집에는 아이가 둘이 있다. 여섯 살쯤 되어 보이는 꼬맹이와 누나인 초등학교 2학년생 아이다. 이 아이들이 얼마나 에너지가 넘치는지 토·일요일 낮밤을 가리지 않는 것은 물론이고 평일에도 어떨 땐 밤 11시가 넘도록 쿵쿵거리며 뛰어논다. 물론 부모가 주의를 주기는 할 것이다.

한 3년이 지났나, 하도 시끄러워 그 집 현관문에 처음이자 마지막으로 정중하게 주의를 촉구하는 쪽지를 붙여놓은 기억이 난다. 그러면 한 1주일 정도 조용하다가 또 시작된다. 그러나 그 이후로는 지금까지 한 번도 항의를 하지 않아서인지 그 집에서는 뛰어놀아도 되는 모양이다, 아마 그렇게 생각하는 것 같다. 작년에 내부 수리를 하고 에어컨까지 설치하는 것으로 봐서는 전셋집은 아닌 것 같다. 오늘도 조금 전까지 아이들이 쿵쿵거리며 뛰어노는 소리가 들렸다.

그런데 나에게 놀라운 변화가 일어났다. 미처 나 자신도 느끼지 못한 일이다. 언제부터인가 윗집 아이들이 쿵쿵거리며 뛰어노는 소리가 전혀 귀에 거슬리지가 않았다. 웬일인지 오히려 흐뭇하게 느껴지는 것이다. 뭐랄까 마음에 위안이 된다고나 할까 아무튼 편안하기까지 했다. 그러다 문득 이런 생각을 하게 된다. 어, 내가 혹시 정신이 좀 이상해졌나봐. 내가 이런 소리에 기분이 좋아지다니. 우리 아이들 장가도 안 갔는데 벌써부터 할아버지가 다 되었나. 그런 생각까지 다 든다.

어제 저녁에는 가게에 전구를 사러 가는데, 갑자기 뒤에서 폭발적인 굉음과 함께 노래를 부르며 오토바이 두 대가 쏜살같이 달려와 저쪽 1호 라인 앞에 멈추는 것이었다. 고등학생쯤으로 보이는 한 녀석의 손에 피자 상자가 들려있는 것을 보니 배달하러 온 모양이었다. 나머지 세 녀석들은 그 친구 따라온 것 같고. 평소 같으면 그런 녀석들은 잡아다 냅다 크게 혼을 냈을 텐데 어제는 정말 거짓말 같이 전혀 화가 나지 않았다. 저 나이 때에는 저렇게도 놀아 봐야지 하는 생각이 저절로 드는 것이다.

오늘이 세월호 참사 3주기다. TV에서는 김훈 작가를 등장시킨 세월호 3년 다큐가 방영되었다. 지금 생각해도 아이들이 너무나 어이없이 죽임을 당했다. 가만히 있으라는 안내방송만 하지 않았어도 모두 살아서 이 푸른 청춘의 계절에 발바닥에 땀이 나도록 친구들과 웃고 떠들고 때론 싸우면서 뛰어놀고 있을 텐데, 왜 밖으로 나가라는 말을 하지 않았는지, 왜 정부는 구조를 제대로 지휘하지 않았는지, 참으로 통탄할 일이다!

죽음이 닥쳐오는 와중에 한 아이가 절규하며 찍은 동영상이 머리에 떠올라 피가 거꾸로 솟는다. 미안하고 또 미안하고 한없이 미안하구나, 아이들아. 그래서 더 사무치도록 너희들이 보고 싶구나, 아이들아. 피붙이 아닌 자의 마음도 이러하거늘 그 부모들 마음이야 오죽하겠는가, 무슨 말로 그 심정을 위로할 수 있을까.

세상의 모든 아이들아! 어디에 있든지 떠들고 싶으면 떠들고 소리치고 싶으면 소리쳐라. 노래하고 싶으면 노래하고 욕하고 싶으면 마음껏 욕도 해 보거라. 가끔가다 19금 담배도 피워보고 술도 마시고 싶으면 그렇게 해 보거라. 공부하기 싫으면 하지 마라. 그러다 마음 내키면 다시 하면 된다. 너희들은 그저 엄마아빠가 부르면 언제든지 달려와 주기만 하면 된다. 언젠가 때가 되어 하늘이 너희와 우리를 갈라놓을 때까지, 너희들은 그저 마음껏 뛰어놀아주기만 해도 고맙다 아이들아.

이제야 노란리본 배지를 달았습니다[6]

4.16 이후에는 교복을 입고 지나가는 고등학생들의 얼굴을 차마 볼 수가 없어서 고개를 돌렸습니다. 엘리베이터 안에서 마주친 앞 집 고등학생에게 미안하다고 말을 하니 의아하게 쳐다보더군요. 주말이면 늘 가던 백양산 등산도 더 이상 가지 않게 되었습니다. 교복을 입고 산책하듯이 등산을 온 여고생들을 종종 마주쳤기 때문입니다.

---

6. 세월호 참사 2주기에 즈음하여 '진보광장'텔레그램에 올린 글이다

어느 날 아내가 퇴근하면서 노란 리본 배지를 두 개 갖고 왔습니다. 옷에 달았으면 한다는 겁니다. 거기 놔두라고 했습니다. 이튿날 퇴근한 와이프가 그 자리에 그대로 있는 배지를 보고는 "어, 안 달았어요?" 묻는 겁니다. 나는 슬그머니 배지를 갖고 작은방 책상 서랍 안에 넣어두었습니다.

300명이 넘는 아이들이 차디찬 바닷속에서 울부짖으며 죽어갈 때, 나는 이미 그 아이들을 죽인 '공범'이 되어버렸는데 내가 무슨 염치로 배지를 달 수 있겠습니까. 이제야 고백하지만 〈민들레〉를 비롯한 세월호 참사 진상 규명을 외치는 많은 단체들의 집회나 서명 전에도 저는 거의 참석을 하지 않았습니다.

1주기에 즈음하여 밀양 송전탑 반대 운동에 열심히 투쟁했던 김경태 목사님과 상의하여 4.16 관련한 단체를 결성하려고 정관을 만들고 사무실을 조용히 알아본 적이 있었습니다. 그런데 동참하려는 어떤 분이 그것마저도 자신을 홍보하려는데 이용하려는 것을 보고는 다 부질없구나 하는 생각을 하게 되었습니다. 이후에는 아이들에게 미안해서 스스로 세월호와는 더 멀어지게 되었습니다.

어제(4월 15일) 화명동에서 세월호 참사 2주기 추모 집회가 있었습니다. 많은 고등학생들이 참석했더군요. 민들레에서도 오시고, 16일에는 상경 집회에도 참석한다는 그 분들을 보면서 가슴 속에 회한이 밀려오더군요. 너무 미안하고 부끄럽지만 저는 오늘 아침에 일어나서야 노란 리본 배지를 처음으로 옷에 달았습니다. 아직도 고통 속에서 하루하루를 지내고 있을 유가족들과 지난 2년 동안 세월호 참사 진상규명을 위해 투쟁해 온 민들레를 비롯한 전국의 활동가 분들께는 개인적으로 너무 미안한 마음을 전합니다.

비오는 낙동강에 유채꽃이라[7]

오늘 비오는 낙동강가에서 찍은 사진[8]이다. 주차비 절약 차원에서 무료 주차를 할 수 있는 곳을 찾다 보니 트럭을 거기 갖다 놓았는데, 혹시나 해서 안전 점검도 할 겸 나간 김에 한 컷. 흐리고 솜씨가 좋지 않아 잘 나오지 않았다. 이제 만개하려는 단계이다.

그런데 사실 이 유채꽃은 강가에 있어선 안 되는 식물이다. 들판의 꽃이라고 할 수 있다. 저렇게 강가에 있으니 얼핏 보기에는 좋을 수 있으나 채 한 달도 안 되어 꽃이 지고 나면 일반 흙밭이 되어 나대지 마냥 방치되는데, 여름철 홍수가 나면 이 흙이 다 휩쓸려 갈 뿐 아니라 물도 탁하게 하는 것이다.

원래 개울가나 강가에는 수생식물들이 자라야 한다. 버드나무나 노란창포꽃 등을 심어야 한다. 그래야 수질정화나 유속을 자연스럽게 제어하는 등 제 기능을 할 수 있는 것이다. 유채꽃은 일시적으로는 보기가 좋아도 강물에게는 전혀 도움이 되지 않는 사실상 해로운 식물이다.

유채꽃이 낙동강가에 자리를 잡은 것은 이명박이 4대강 사업을 하

---

7. 지난 대선 때 안철수를 비판하며 쓴 글
8. 원래 이 글에는 만개한 유채꽃 사진이 있었는데 넣지 않았다

면서부터이다. 심지어 이 강가에 작은 대나무 숲까지 조성해 놨다. 정말 생각 없이 머저리 같은 일을 벌인 것이다.

정치인 중에 유채꽃에 해당하는 사람을 골라보라면 나는 안철수를 고를 것 같다. 겉으로 보기에는 그럴듯하게 좋아보여도 사실은 서민 경제를 망칠 인물이다 안철수는. 그가 경제는 진보이고 국방은 보수라는 미명하에 국방비를 엄청나게 늘릴 것이라고 큰소리치는 데, 실은 그것이 곧 경제를 망친다는 사실을 전혀 모르고 헛된 소리를 내뱉고 있기 때문이다.

국방비를 늘린다는 건 원하든 원하지 않던 군비 경쟁에 돌입하게 되는 것인데, 소련이 망한 이유 중에 하나가 미국과의 군비 경쟁도 큰 작용을 했다. 즉 군비 확장은 경제에는 전혀 도움이 안 되는 멍청한 짓이고 그렇게 막 군비를 늘린다고 해서 안보에 도움이 되어온 사례도 찾아보기 힘들다. 이것은 또한 북한을 군비 경쟁에 끌어 들여 그곳 주민들의 삶을 더욱 고통에 빠지게 할 참 나쁜 공약이다. 안철수의 논리대로라면 국방비만 늘리면 미국에 9.11 사태 같은 일도 일어나지 않았어야 한다.

강가에 화려하게 서 있는 저 유채꽃이 사실은 강을 망치듯, 4대강 사업의 이명박이 추켜세운 인물 안철수가 이 나라를 어디로 끌고 갈지 우려하지 않을 수 없다. 그래서 5월 9일은 참으로 중요한 날이다. 아, 5월이여 어서 오라!

산성마을이 북구로 편입되어야 하는 이유[9]

예로부터 고을의 경계를 나눌 때는 개울이나 강, 산등성이를 기준으로 금을 그어 마을과 마을, 읍·면·동을 나눴다. 지금은 도시화 되어 그런 구분이 딱 맞지가 않지만, 도시화가 덜 된 과거 한국 사회에서는 대부분 그런 식으로 해서 행정구역을 나누어 왔던 것이 사실이다.

나는 여기서 산성마을 이야기를 하고 싶다. 산성마을은 금정구로 되어있다. 그러나 상식적인 눈으로 보면 산성마을은 북구로 편입되는 것이 마땅하다. 우선 거리를 한번 살펴보자. 북구 대천리중학교에서 산성마을 동사무소까지 거리는 3.8km. 금정구의 금강공원 입구 로터리에서 산성마을 동사무소까지 거리는 6.8km다. 거리나 시간상으로나 산성마을은 북구와 가깝다. 위치상으로도 산등성이 아래인, 즉 북구 쪽으로 내려와 자리 잡고 있다. 때문에 산성마을 식당 주인이나 주민들도 구포시장을 주로 이용해서 생활필수품 등을 조달하고 있다.

현재 산성의 마을의 인구는 약 2,000명이고 세대수는 435세대 3개 통 10개 반으로 구성되어 있다. 한때 열린 교육의 붐을 탄 이후 지금도 많은 학부모들이 보내고 싶어 하는 아름다운 학교, 역사와 전통을 자랑하는 금성초등학교가 있다. 전국적으로도 유명한 산성막걸리 생산도 거기서 하고 있다.

산성마을은 1943년 10월 1일 경상남도 동래군 구포면 금성리 → 1963년 1월 1일 부산직할시 부산진구 금성동 → 1978년 2월 15일 부산

9. 지난 전국 동시 지방 선거 때 쓴 글

직할시 동래구 금성동 → 1988년 1월 1일 부산직할시 금정구 금성동 → 현재 부산광역시 금정구 금성동으로 행정구역이 이어져 왔다. 그러나 이제 마지막으로 〈부산광역시 북구 금성동〉으로 편입이 되어야 할 시기가 도래했다. 주민들이 북구에 있는 시장이나 주요 시설들을 많이 이용하고 있고, 거리상으로나 시간상으로나 생활편의상으로 보나 북구로 편입되지 않을 이유가 없다. 산성마을 2000명을 북구의 품으로!

이건 정말 고쳐야 – 새해 인사말[10]

해마다 연말연시가 되면 제가 꼭 한마디 하고 넘어가는 일이 있습니다. '새해 복 많이 받으세요'라는 인사말에 관한 것입니다.

오늘 대통령 연두 기자회견을 보고 또 한마디 지적하지 않을 수 없어서 이렇게 말을 꺼내게 됩니다. 대통령은 기자 회견 첫 질문자로 청와대 출입 기자단 간사인 연합뉴스 기자에게 첫 질문의 기회를 주었습니다. 기자는 정중하게 예의를 갖춰서 질문을 했습니다. 너무 예의를 잘 갖추려고 그래서인지 모르겠지만 대통령에게 "대통령님도 새해 복 많이 받으시기 바랍니다"라는 인사말을 했습니다. 얼핏 보면 아무런 문제가 없고 참 예의바른 인사말 같이 보입니다. 그러나 이것은 잘못된 인사말입니다.

'새해 복 많이 받으세요'라는 말은 덕담(德談)입니다. 그런데 덕담은

---

10. 올 해 대통령 연두 기자회견한 날 쓴 글이다.

아무나 할 수 있는 인사말이 아닙니다. '덕담 한마디 해 주십시오'라고 청하는 것처럼 이 인사말은 윗사람이 아랫사람에게 하는 인사말입니다. 이를테면 아버지가 아들에게, 할아버지가 손주들에게 하는 새해 인사말이기 때문입니다. 즉 덕담은 결코 연소자가 연장자에게 해서는 안 되는 인사말이지요. 아들이 아버지에게 '아버지 새해 복 많이 받으세요'라고 말한다면 한마디로 코미디이지요. 절에 가서 신도들이 큰스님에게 '스님 새해 복 많이 받으세요'라고 말하면 안 되는 것과 같은 이치입니다.

위와 같이 간단하게 살펴 본 바, 오늘 대통령 년두 기자회견장에서 젊은 기자가 대통령에게 '새해 복 많이 받으시기 바랍니다'라고 한 인사말은 결례(무례는 아님)입니다. 이제 알았으니 앞으로는 우리 모두 같은 실수를 되풀이 하지 않았으면 좋겠습니다.

우리는 너희의 법을 받지 않겠다[11] - 주한미군이야말로 반국가단체다

국민의 정부, 참여정부 기간 동안 평탄했던 남북 관계가 이명박 정권 들어서 경색되기 시작하더니 마침내는 천안함 침몰을 북측에 뒤집어씌우는 거대한 사기극을 꾸며냄으로 남북관계는 완전히 파탄 났다. 천안함 사건을 빌미로 이명박 정권은 미국을 등에 업고 사상 최대의 대북 공격 훈련을 동해에서 실시하였고, 북측은 강력히 반발하면서 3차

---

11. 이 글은 서울지방경찰청보안수사대로부터 탄압을 받고 있을 당시 쓴 글이다.
  2010. 8.2 통일뉴스 기고문

핵실험까지 거론되는 상황에 이르렀다. 말로만 평화를 외치는 미국 오바마 정권과 이명박 사기꾼 집단에 의해 한반도 평화는 홍수에 고무신 떠내려가듯 사라지고 말았다.

이명박 정권은 한반도 평화와 남북 관계를 파탄시킨 것으로는 성에 차지 않는지 많은 애국 통일 운동 진영을 탄압하고 있다. 주한미군철수운동본부(줄여서 주미철본)에 대해서도 마구잡이로 탄압을 가하고 있다. 겉으로는 지난 4월에 있었던 자유청년개척단인가 하는 반북 단체의 고발에 의해 공식 수사 착수를 하는 것으로 위장했지만, 사실은 지난 10년 동안 온갖 불법 사찰과 압력을 넣는 등 벼르고 벼르다가 이제야 노골적으로 탄압의 칼을 뽑아 든 것이다. 그들 딴에는 좀 오래 기다린 셈이다.

서울중앙지검(담당 이정훈 검사)은 국가보안법 위반 혐의로 2009년 11월에 주미철본 김만정 선생 자택 압수수색, 지난 6월 22일에는 주미철본 홈페이지 서버 압수수색을 시작으로 24일에는 송영도 선생 자택 압수수색, 홍석영, 리인수, 임찬경 선생 등 전현직 대표들에게 줄줄이 소환장을 보내고 지금 조사를 진행하고 있다.

검찰은 주미철본의 강령이 "북한의 대남 적화 노선을 추종"하고 있다는 궤변을 늘어놓고 있다. 지난 10년 동안 홈페이지에 올려놓은 각종 논평이나 성명도 거의 대부분 "북한의 선전 선동에 동조하는 고무찬양"에 해당된다고 말하고 있다. 북측에서 발표된 글을 홈페이지에 소개한 것도 이적 표현물에 해당되며, 특히 주미철본 규약을 근거로 조직 체계를 갖추고 지휘통솔을 하는 것이 명백해 보인다는 말을 하고 있다. 우리는 여기서 그들의 의도를 충분히 짐작할 수 있다. 주미철본을 이적단체로 몰아가려는 시도를 노골적으로 드러냈다고 볼 수 있는 것이다.

주한미군철수운동본부는 지난 1999년 11월 12일 사업을 하는 등 평범한 시민들에 의해 서울 용산의 한 커피숍에서 결성된 후, 노근리 양민학살 사건을 국민들에게 널리 알리는 일에 매진해 왔고, 2000년 6.15 공동선언이 있은 다음 달인 7월 28일에 부산일보 강당에서 공식 출범을 하였다.

주미철본 결성의 계기가 되었던 미군에 의한 양민학살 만행(AP통신 노근리 보도)은 미제국주의의 본질을 그대로 알 수 있는 핵심 사안이다. 노근리 뿐 아니라 미군이 한국전쟁 당시 이 땅에서 저지른 양민학살 만행은 그 건수와 숫자를 헤아리기 조차 힘들다. 남쪽에 미군이 주둔하는 것은 살인마들이 자신들의 손에 의해 죽은 피해자의 집을 보호해 주겠다는 것과 다를 바 없는 패륜 행위이다. 미군은 한국 전쟁 당시 양민학살을 자행한 것도 모자라 이후 수십년 동안 한반도의 군사적 긴장을 유발하고 남쪽의 독재 정권을 탄생시키고 지지한 역할을 해 왔다. 즉 주한미군은 이 땅의 민주주의를 후퇴 시킨 장본인이다. 그리고 독재자 전두환이 저지른 광주 학살의 공동정범(共同正犯)이기도 하다.

미군은 1994년 6월에는 북측 영변 지역을 폭격하려는 계획을 실행에 옮기려고 했다. 그 때 국민들은 물론이고 정부 인사들조차도 대부분 그 같은 사실을 알지 못했다. 남의 나라 땅에서 제 마음대로 전쟁을 일으키려는 불한당 패거리인 미군의 철수를 요구하는 것은 그래서 오히려 장려되어야 할 운동이다. 건전한 상식을 가진 사람들의 모임인 시민단체 주미철본이 그러한 미군의 철수를 요구하는 것은 너무나 당연하고 한 치도 이치에 어긋남이 없는 정당한 행위이다. 이런 이유들로 주미철본이 활동했기에, 명색이 6.15 공동선언을 탄생시킨 국민의 정부와 그 뒤를 이은 참여정부에서는 탄압을 하고 싶어도 탄압할 명분이 없었던 것이다.

이명박 정권은 건전한 상식과 합리적 사고, 법치주의가 통하지 않는 깡패정권이다. 그런 깡패정권하에서 탄압을 받지 않으면 오히려 재수 없다. 탄압의 엄중함을 희화화 하는 말이 될지 모르겠지만 주미철본이 이런 정권하에서 탄압을 받는 것은 지난 10년 동안 나름의 투쟁에 대한 성과로 받아들이겠다. 주미철본이 그동안 활동한 것이 국가보안법상 이적행위이고 그로 인해 이적단체가 된다면 그런 이적단체는 백번이고 될 생각이 있다. 그러나 적(敵)이라고 불리는 그 반국가단체는 분명히 따로 있다는 사실을 알자. 바로 주한미군이다!

국가보안법은 "국가의 안전을 위태롭게 하는 반국가 활동을 규제"하여 "국가의 안전과 국민의 생존 및 자유를 확보함을 목적으로 한다"고 총칙에 명시하고 있다. 지금 주한미군은 한반도에 전쟁 위기를 조장하여 국가의 안전을 매우 위태롭게 하고 있다. 천안함 사고를 북측에 뒤집어 씌워 사상 최대의 대북 공격 훈련을 자행하여 전쟁 직전의 위기 상황으로 몰아넣고 있는 것이다. 이는 명백히 "국민의 생존 및 자유"를 파괴하려는 행위이다.

지금은 폐쇄된 경기도 매향리 미군 폭격장은 주한미군은 물론이고 해외 미군까지 원정와서 지난 50년 동안 폭격을 해대며 그곳 주민들을 죽고 다치게 하여 공포에 떨게 하였다. 그 당시 수많은 시민사회단체와 주민들은 자신들의 생존 및 자유를 파괴하는 폭격 연습 중단과 폭격장 폐쇄를 위한 투쟁에 나서야 했던 것이다. 주한미군이 저질렀던 모든 행위들은 국가보안법상의 명백한 반국가 활동이다.

주한미군이 반국가단체라는 또 하나의 명백한 사실은, 그들이 지휘통솔체계를 갖추고 대한민국 정부를 참칭하고 있다는 점이다. 주권국이 행사해야 할 전시작전통제권을 일개 군사 조직인 주한미군이 갖고 있다는 것은 바로 그들이 대한민국 정부를 참칭하고 있는 명백한 증거가 된다. 이 반국가 단체 주한미군을 지지, 찬양, 고무하는 세력들인 이명박 정권이야 말로 바로 이적단체가 아니고 무엇인가! 따라서 주한미군을 반대하고 철수를 요구하는 주한미군철수운동본부는 그들이 들이밀고 있는 국가보안법을 적용받을 아무런 이유가 없다.

천안함 사태 이후 이명박 정권이 시민사회진영 탄압에 더 고삐를 틀어쥐는 이유는 간단하다. 차기 정권 재창출을 위해서다. 천안함 침몰이 북의 어뢰 공격으로 발생했다는 조사 결과는 김현희가 저질렀다는 칼기 폭파 사건과 맞먹는 희대의 사기극이다. 그러나 이 사기극은 다가오는 대선에서 반드시 그 진실이 폭로되게 되어 있다. 공범이 되지 않으려는 자의 양심선언이 나올 수 밖에 없는 것이다. 그렇게 되면 이명박의 정권 재창출은 물 건너간다. 때문에 이명박은 천안함 사건의 진상 규명에 전국의 시민사회가 총결집하는 것을 두려워하고 있다. 그래서 개별단체별로 탄압을 가하면서 뭉치지 못하게 공작을 하고 있는 것이다.

    이럴 때일수록 시민사회 진영은 천안함 사기극 진상 규명에 똘똘 뭉쳐야 한다. 어쩌면 하늘이 우리 민족에게 기회를 주고 있는지도 모른다. 천안함 사건은 지난 수십 년 동안 반북으로 먹고살던 이 땅의 수구 냉전세력을 한꺼번에 날려버릴 수 있는 절호의 기회일 수 있는 것이다. 천안함 투쟁의 성공 여부야말로 정권을 회수하느냐 못하느냐가 달려 있다 해도 과언이 아니다. 미국이 개입된 조작 사건에 지금의 나약한 민주당이 대응 할 수 있는 한계를 생각하면 이명박 정권의 노림수가 보이지 않는가?

    끝으로, 국가보안법으로 탄압 받고 있는 전국의 시민사회단체 그리고 애국 시민들에게 다음의 글귀를 소개하면서 글을 마치고자 한다. 좀 부담스러운 말이 될지 모르겠지만 우리가 결사전의 각오를 갖지 않으면 국가보안법에 항상 당할 수 밖에 없다는 심정으로 소개하니 달리 생각들 마시라.

    "너는 나의 적이요, 나는 너의 적이다. 내 너희를 쳐 없애고 나라를 구하고자 하였으나 도리어 너희에게 붙잡혔으니 너희는 나를 죽일 것 뿐이요. 아무것도 묻지 마라. 내 죽을지언정 너희의 법은 받지 않으리라"(전봉준)

VI

국제 정세 동향

1. 중국의 일대일로 추진 현황과 함의[1]

일대일로란?

일대일로(一帶一路)는 중국 시진핑이 고대 실크로드의 영광을 현세에서 재현하여 중국 민족의 부흥이란 꿈(中國夢)을 이루기 위해 중국의 국책사업으로 추진하는 초대형 국가 프로젝트이다. 여기서 말하는 일대일로의 일대(一帶)는 중국-중앙아시아-유럽을 잇는 경제벨트를 의미하는 것이고, 일로(一路)는 동남아시아-유럽-아프리카를 잇는 해상 경제벨트를 말한다. 이 일대일로라는 용어는 "2개의 실크로드 경제권인 실크로드 경제벨트(絲綢之路經濟帶)[2]와 21세기 해상 실크로드(21世紀海上絲綢之路)[3]의" 각각 끝 자인 '帶'와 '路'를 조합하여 만든 신조어다.

---

1. 현재 벌어지고 있는 미중 무역 갈등의 주요 원인 중에 하나가 중국의 일대일로 사업 추진에 대한 미국의 제재라는 측면도 있다 할 것이다. 그렇다면 이 일대일로 사업이 뭔지 개괄적으로 알아볼 필요가 있다. 그 중에서 필자가 관심을 갖고 있는 스리랑카와 중국 관계에 무게를 두고 이 글을 쓰게 됨.
2. 병음 표기 sīchóuzhīlù Jīngjìdài
3. èrshí shìjì Hǎishàng sīchóu zhīlù : 네이버 중국어 사전

본 글에서는 일대일로 정책 추진에 참여한 국가 중에서 스리랑카를 중심으로 일대일로의 현황과 시사점을 살펴보겠다.

추진 경과

중국의 일대일로 정책의 추진 경과를 표로 정리해 봤다.

년 / 월	주요 내용
2013. 9	카자흐스탄 나자르바예브대학 강연에서 시진핑 주석은 인구 30억 명을 포괄하는 실크로드 경제벨트(絲綢之路經濟帶) 구축을 제안
2013. 10	인도네시아 국회연설에서 시진핑 주석은 아세안과 21세기 해상 실크로드(21世紀海上 絲綢之路)의 공동 건설을 제안
2013. 12	시진핑 주석 중앙경제공장회의에서 실크로드 경제벨트 구축과 21세기 해상 실크로드 공동 건설이 공식적으로 제시
2014. 2	시진핑주석과 푸틴 대통령이 일대일로 구상과 TSR과의 연결에 대한 인식을 공유
2014. 3	리커창 총리가 전인대 정부공작보고에서 일대일로를 중점 추진할 것이라고 발표
2014. 5	실크로드경제지대의 첫 번째 플래폼으로 '중국–카자흐스탄 물류기지(롄윈강)' 운영 개시
2014. 11	시진핑 주석은 중앙재경영도소조 8차회의를 주재하고 '일대일로–帶–路'프로젝트와 함께 아시아인프라투자은행 건립, '실크로드 기금' 설립 문제 등을 논의
2014. 11	APEC정상회의에서 400억 달러 '실크로드 기금'을 발표
2014. 12	중앙경제공작회의에서 일대일로 프로젝트를 징진기공동발전, 장강경제벨트 등과 함께 2015년 중점 추진 계획으로 발표
2015. 2	장가오리(張高麗) 부총리 겸 당정치국 상무위원을 조장으로 하는 '일대일로 건설공작 영도소조'출범
2015. 3	아시아인프라투자은행(AIIB) 창립회원국 신청 마감(최종 57개국)

중국 일대일로 추진 경과[4]

위 표에서 보듯이 시진핑은 2013년 9월 카자흐스탄 나자르바예브

대학에서 강연을 하면서 30억 명이 포함되는 21세기 신 실크로드 경제라인 구축을 시작할 것을 제안하였다. 이를 위해 중앙아시아와 중국 사이에 교통 연결망부터 개선해서 태평양에서 발트해까지 이어지는 경제권역을 창출해 낼 것으로 제안하였다.

시진핑은 그 다음 달인 10월에는 인도네시아 의회에서 아세안과 신 실크로드를 구출할 것을 또 제안하였다. 의회 연설이후 유도요노 인도네시아 대통령과의 회담에서는 AIIB(아시아인프라투자은행)[5]을 설립하자고 제안하게 된다. 일대일로 정책을 원활하게 추진하기 위해서는 안정적인 기금에 있어야 하는데, 그 방편으로 은행 설립을 제안한 것이다.

관련하여 시진핑 주석은 같은 해 12월, 중국 중앙경제정책회의에서 육상 실크로드 경제벨트와 21세기 해상 신 실크로드 구축을 추진할 것으로 공식적으로 천명하였다. 이듬해인 2014년 11월에는 아펙 정상회의에 참석하여 기금 설립으로 400억 불을 일대일로 프로젝트에 투자하겠다고 발표를 하였다. 이후 2015년 2월에는 일대일로 정책 추진을 위한 특별위원회[6]를 장가오리 부총리(정치국 상무위원, 당 서열 7위)가 맡게 된다. 그리고 부위원장으로는 공산당 정책연구실 왕후닝, 부총리 왕양, 국무위원 양징, 외교담당 국무위원 양제츠가 각각 맡게 된다. 관련하여 AIIB에 57개국이 창립회원으로 참여하게 된다.

---

4. 출처 : "일대일로 프로젝트 현황과 영향", 이봉걸, Trade Focus, 2015,
5. 한국은 2015년 12월 25일 가입했다. 2019년 4월 현재 세계 97개국이 회원국으로 참여하고 있다.
   https://www.aiib.org/en/index.html
6. '領導小組'를 우리말로 번역을 하면 특별지도위원회 정도가 될 것 같다.

추진 배경과 목적

중국이 일대일로 정책을 추진한 배경과 목적은 크게 네 가지로 볼 수 있다. ▲첫째는 새로운 시장을 확보하여 중국내 과잉 생산 문제를 해소하기 위함으로 볼 수 있다. 중국 경제는 한정한 수요에도 불구하고 과도한 생산으로 인해 몸살을 앓고 있었다. 이를 돌파하기 위해 동남아나 중앙아시아 쪽으로 눈을 돌려 중국 경제에 새로운 활력을 찾아야 했다. 이들 지역에 사회간접자본을 투자, 건설하여 육상 실크로드를 구축하는 것은 중국의 내수를 활성화하면서도 중국 기업체들의 외국 진출도 자연스럽게 이룰 수 있는 것이다. ▲다음으로는 자원 및 에너지를 안정적으로 확보하기 위함이다. 중국은 자타가 공인하는 세계 최대의 에너지 소비국이다. 13억 인구에 필요한 에너지와 자원을 차질 없이 확보하기 위해서는 무엇보다도 안정적인 공급 루트가 필요한 것이다. 해상을 통해서는 멀리 아프리카와 가깝게는 중동산 원유와 지하자원을, 육로를 통해서는 중앙아시아 쪽으로부터 안정적인 자원을 공급받기 위함이다. 중국의 원유의 80%는 말라카 해협-남중국해 루트를 통해 공급되고 있고, 특히 이 말라카 해협은 미국 해군이 관리·통제하고 있어서 중국의 입장에서는 21세기 새로운 바다 실크로드, 즉 중동과 남중국해로 이어지는 새로운 바닷길을 개척할 필요성을 절감하고 있는 것이다. 한편 가스관은 중국 - 중앙아시아 육로에 이미 3개가 운영 중이고, 추가로 한 개의 가스관이 더 완공되면 중국은 중앙아시아에서 약 40%의 가스를 공급받게 된다. ▲셋째로는 중국내 지역차 극복이다. 중국은 지역별로 경제 발전의 차이가 매우 크다. 특히 동부 쪽과 서북부지역의 차이가 극심하다. 일대일로는 중국 내 농촌과 도시의 발전격차를 해소하고, 관련하여 상대적으로 낙후된 신장위구르 지역, 섬서성, 간쑤성, 닝샤이자치구, 칭하이성 지역을 발전시켜 소수민족들의 독립 움직임도 차단하려는 의도가 포함되어 있다고 할 것이다.[7]

한편, 중앙경제정책특별위원회는 베이징, 텐진, 허베이로 일컫는 '징진이' 지역의 협력과 발전, "창창 경제지대 건설 등과 함께 일대일로 프로젝트를 2015년 지역발전을 위한 3대 프로젝트로 선정" 했다. ▲마지막으로는, 아태지역 경제통합을 위한 주도권 선점이다. 시진핑은 2014년 11월 APEC 정상회의에서 아태 지역을 자유무역지대로 하자는 제안을 하여 참가국들의 뜻을 모으는데 성공했다. 이것은 미국의 보호주의를 견제하면서 미국이 주도하고 있는 TPP(환태평양경제동반자협정)[8]을 견제하고 이 지역의 경제통합의 주도권을 선점하기 위한 것으로 보인다.

일대일로 추진 현황

2019년 3월 기준으로 "일대일로 사업에 참여하는 국가는 약 70개국이며 투자액은 1조 달러에 이른다."[9] 4월 20일 자 〈뉴스 1〉의 보도에서도 미국의 견제와 방해에도 불구하고 일대일로 참여 국가는 더 늘어난

---

7. 일대일로의 육상 실크로드 출발점은 섬서성, 황금구간은 깐수성, 닝샤이족 자치구와 칭하이성은 전략지역, 신장위구르는 핵심지대로 규정됨
8. 미국은 현재 TPP에서 탈퇴함
9. https://www.mk.co.kr/news/economy/view/2019/03/176697/
10. 4월 20일자 〈뉴스1〉 http://news1.kr/articles/?3602010
11. 출처 : 『중국의 '일대일로' 추진 현황 및 평가와 전망』, KIEP 북경사무소 브리핑, 2017

것으로 밝혀졌다.[10] 빠져나왔던 말레시아와 파키스탄이 다시 참여하게 되었고, 특히 G-7 회원국 중에서 처음으로 이탈리아가 지난 3월 중국과 MOU 체결하였다. 스위스도 곧 체결을 예정하고 있다.

특히 지난 4월 25일~27일, 베이징에서 개최된 제2회 일대일로 정상포럼에는 "2년 전인 첫 포럼 때 보다 많은 37개국 정상들을 비롯, 150개국에서 5000명의 해외 대표단이 참석"한 것으로 알려졌다.

대수	시기	국가 및 국제기구	대수	시기	국가 및 국제기구
1	2014.6.3	쿠웨이트	22	2016.1.21	이집트
2	2014.9.3	타자키스탄	23	2016.1.23	이란
3	2014.10.11	독일	24	2016.3.23	네팔
4	2014.11.3	카타르	25	2016.3.23	랑창-매콩강 국가
5	2014.11.13	ASEAN	26	2016.3.29	체코
6	2015.3.11	그루지아	27	2016.4.9	스리랑카
7	2015.3.25	아르메니아	28	2016.4.11	ECOSOC
8	2015.5.8	러시아	29	2016.5.18	아프가니스탄
9	2015.6.6	헝가리	33	2016.6.18	세르비아
10	2015.7.10	SCO	31	2016.6.20	폴란드
11	2015.8.31	카자흐스탄	32	2016.6.22	우즈베키스탄
12	2015.9.28	EU	33	2016.9.9	라오스
13	2015.10.22	영국	34	2016.9.9	UNDP
14	2015.10.31	한국	35	2016.9.29	벨로루시
15	2015.11.11	몽골	36	2016.10.14	방글라데시

중국과 일대일로 협력 문건에 서명한 국가 및 국제기구[11]

중국과 스리랑카 관계 개괄

중국과 스리랑카[12]의 외교 관계 수립은 1957년 3월에 이루어졌다. 이후 중국은 스리랑카의 경제적 후원자가 되다시피 하며 관계를 잘 유지해 왔다. 그러다가 스리랑카가 서방과 가까워지려고 하면서 양국 관계가 멀어지는 듯 했다. 하지만 중국이 1980년 1월에 약 3300만 달러의 차관을 무이자로 제공을 함으로서 두 나라의 관계는 지금까지 원만하게 유지되고 있다.

스리랑카 Jayewardene 대통령이 1984년 5월에 중국을 방문했고, 이후 李先念 중국 주석이 1986년 4월 스리랑카를 방문하여 양국 간에 경제협정을 체결하였다. 1996년 4월에는 찬드리카 반다라나이케 쿠마르퉁(Chandrika Bandaranaike Kumaratunga) 대통령이 중국과의 관계를 중시하여 방문하였고, 朱鎔基 총리가 2001년 5월 스리랑카를 방문하여 두 나라 사이에 친선우호관계가 더욱 발전하게 되었다. 원자바오 총리가 2005년 4월 8일, 1박 2일 일정으로 스리랑카를 방문하여 쿠마르퉁가 대통령과 정상회담을 하였다. 당시 두 나라는 3악 근절(극단주의, 분리주의, 테러주의)을 위해 공조를 강화해 나가기로 했고, 스리랑카는 하나의 중국 정책을 지지했고, 중국은 스리랑카의 평화협상 노력에 대한 지지를 재확인했다.[13] 이 자리에서 중국은 쓰나미 피해를 입은 스리랑카에 대한 재건 지원 사업을 체계화하여 항구 여섯 개를 복구하고 재난 대비 훈련을 공동으로 실시하기로 양측이 합의했다. 그 밖에도 여섯 개의 건설 프로젝트 지원, 수출 구매자 신용 공여[14]와 네

---

12. 스리랑카의 수도는 이름 좀 긴 '스리자야와르데네푸라코테'이다. 많은 언론 기사가 옛 수도인 콜롬보로 잘못 적고 있다.
13. 당시 스리랑카 정부군은 타밀족 반군의 공세에 시달리고 있었다.
14. '구매자 신용'은 수출국의 연불금융기관이 자국의 수출업자를 통하지 않고 직접 수입국의 수입업자에게 자금이 대출되는 방식, 직접대출(direct loan)이라고도 한다. 출처: 네이버 경제백과 사전

개의 기술 협정 체결과 육백만 달러 무상 원조 등 경제적 지원을 약속했다.

2005년 8월에는 쿠마르퉁가 대통령이 중국을 공식 방문했다. 그 자리에서 두 나라는 스리랑카 푸트람 지역 Norachcholai 석탄발전소 건설과 관광문화경제 분야 등에 8개의 협정을 체결함으로서, 스리랑카 입장에서는 큰 성과를 거두게 되었다. 쿠마르퉁가는 중국과 스리랑카의 새 시대가 열었다고 큰 만족을 표시했다. 또한 중국은 2006년까지 중국 돈 약 6억 4천만 위엔 무상원조, 6억 4500만 위엔 신용수출, 9600만 위엔의 차관 제공, 콜롬보의 국제회의장, 대법원, 중앙우편교환국, 홍수예방사업, 아동 병원 건립 사업 등을 지원했다. 이 밖에 쓰나미 복구비, 항구 3개와 별도의 지원금 3억 달러를 제공하였다.

2009년에도 중국은 스리랑카에 유무상 차관, 수출신용 등 12억 달러를 지원하겠다는 약속을 했고, 이것은 당시 전체 외국 자본금(국제기구와 여타 공여국의 대 스리랑카 지원 약속금 22억 달러) 중 54%에 달하는 수치이다. 동년에 ADB(아시아개발은행)의 4억 2천만 달러, WB(세계은행)의 2억 4천만 달러 지원보다 중국의 지원금이 훨씬 많은 것이다. 2010년 기준으로 중국이 스리랑카에 지원하고 있는 대표적인 사업은 함반토타 국제항구 건설사업, 콜롬보-국제공항간 고속도로 건설, 기타 남부 고속도로 건설, A9 지방 국도 개선 사업, 제2국제공항 건설, 철도 개선사업[15] 등이다.

2014년 9월 16일에는 시진핑이 중국 국가 주석으로서는 28년 만에 스리랑카를 방문하여 FTA 협상을 통해 양국 관계를 전략적 협력파트

너로 더욱 발전시키고, 중국은 자신들의 주변 외교 이념인 親 · 誠 · 惠 · 容을 바탕으로 "스리랑카의 독립, 주권 및 영토 보전를 절대적으로 지지하며 스리랑카 국민들이 선택한 자국 상황에 걸 맞는 발전노선을 지지한다고 밝혔다."

또한 시진핑 주석은 현재 "중국인들은 중화민족의 위대한 부흥인 중국꿈을 실현하기 위해 노력하고 있고 스리랑카 또한 국가발전을 위한 '마힌다 친타나(10개년 국가개발계획)'를 추진 중이기 때문에 양국의 목표가 맞아 떨어진다"라고 언급 했으며, 이에 라자팍사는 "중국이 장기간 스리랑카를 지원해 준 것에 감사"를 표하며 "시진핑 주석이 제안한 21세기 해상실크로드 사업과 스리랑카 측이 추진하는 인도양 해운센터 구상안이 절묘하게 맞아떨어져 중국 측과 함반토타항 및 콜롬보 항구도시 건설과 운영을 위한 협력 사업을 추진하고 양자 자유무역협정 협상을 가속화해 경제무역, 에너지, 농업, 인프라 건설 및 보건의료 분야 협력도 확대하길 바란다"라고 응답했다. 그리고 스리랑카에 공자 학원을 설립해 줄 것을 요청하기도 했다.

이처럼 잘 나가던 중국과 스리랑카의 관계는 2015년 대통령 선거에서 친 인도성향의 시리세나 후보가 당선됨으로서 위기를 맞게 된다. 그러나 결국 인도로부터 아무런 경제 지원도 얻지 못하게 되자 다시 중국과 손을 잡고 일대일로 사업에 동참하고 있다. 한편 현재 중국과 스리랑카는 올해 년말까지 FTA를 체결할 것을 목표로 협상을 진행 중이다.

---

15. 외교부 홈페이지 스리랑카 개황

스리랑카의 일대일로 진행 상황

앞 표를 통해 확인한 바에 의하면 스리랑카가 중국의 일대일로 사업에 동참하겠다고 서명을 한 시기는 2016년 4월이다. 시진핑이 중국 국가 주석 자격으로는 28년 만에 스리랑카를 방문(2014년 9월 16일)하고 난 후 약 19개월 후에 참여를 하게 된 것이다. 그런데 앞에서 기술한 바와 같이 스리랑카에서는 중국이 이미 2010년(이때는 일대일로라는 말이 생겨나기 전)도부터 사실상 지금의 일대일로 사업에 해당하는 함반토타 항구 건설 사업 등이 시작되었다. 2017년, 스리랑카는 함반토타항[16] 건설에 투입된 빚을 갚기 힘들어 11억 2천만 달러에 항구 운영권을 중국 기업에 99년 간 넘겼다.

본 글 중국과 스리랑카의 관계를 개괄하는 글 말미에 밝혔듯이 스리랑카에서 2015년 1월 대통령 선거가 있었는데, 신임 대통령 시리세나가 일대일로 사업의 핵심이랄 수 있는 중국의 콜롬보항 인공섬 조성 사업을 전격적으로 중단시킨바 있다. 결국에는 재개를 했지만, 이 콜롬보항 인공섬 조성 역시 중국 자본이 대거 투입되어 다시 채무가 늘어나는 것을 우려하는 목소리도 많다. 그도 그럴 것이 2017년 12월, 함반토타 항구 운영권을 99년 간 중국에 넘겨준 사례가 있기 때문이다. 하지만 다른 각도에서 보면 스리랑카 입장에서 어차피 항구에 선박 입항도

---

16. 2010년, 인도양 해상무역로와 인접한 함반토타 지역에 중국 자본으로 건설한 항구. 아직까지 제대로 된 선박입항 실적 등이 없는 것으로 알려졌다. 향후 중국이 군사항으로 이용할 개연성으로 높다는 일부 의견도 있다.
17. 연합뉴스 기사를 토대로 재작성

거의 없고 배후에 산업단지도 없는 항구 때문에 막대한 채무를 안고 가는 것보다는 차라리 중국에 운영권을 넘겨 국가채무를 털고 가는 것도 충분히 선택할 수 있는 방안이라 생각된다. 친 인도 성향의 시리세나 대통령이 인도에 뭘 좀 기대했다가 종국에는 아무 것도 경제적 지원을 받지 못한 사례에서 보듯이 결국 스리랑카에 투자할 나라는 중국이 거의 유일하기 때문이다. 이 함반토타 항구 운영권을 중국에 넘긴 것 때문이 야당 의원들과 일부 시민들이 반대하는 시위를 벌이기도 했으나 일대일로 사업에는 별 영향을 끼치지 못했다.

아래는 과거 스리랑카 수도였던 콜롬보항 인근에 중국이 추진하고 있는 인공섬 조성 사업 개요다.

중국의 콜롬보항 인공섬 조성 개요[17]

- 사업 년도 : 2009(2004년 제안)
- 사업 목적 : 남아시아 금융허브 조성
- 면　　　적 : 665ac (약888만평)
- 건물 구성 : 아파트, 호텔, 쇼핑몰, 공원, 운하 등 복합비지니스 타운
- 거주 인구 : 약 8만명, 25만여명 출퇴근 예상
- 투자 기업 : 중국 국영기업 '중국교통건설공사'
- 투자 금액 : 14억달러
- 사업 기간 : 개시년도로부터 약 15년 후
　　　　　　　(정세 따른 변동이 있을 수 있음)

중국은 함반토타항에 이어 콜롬보항까지 접수함으로써 그동안 추진해온 "진주목걸이 전략에 또 하나의 구슬을 꿸 수 있게 됐다." 지도를 놓고 중국의 해상 실크로드와 연결되는 항구들을 선으로 연결해 보면 그 모양이 마치 진주목걸이와 비슷하다고 하여 이 해상 실크로드 사업을 '진주목걸이 전략'이라고도 부른다. 용어 자체는 서방이 지어낸 말이기 때문에 별 의미가 없고, 실제로 이 진주목걸이 해당되는 항구 중 콜롬보항의 전략적 가치는 특별하다.

오래전 중국 명나라의 정화 함대가 이곳을 수차례 들어 보급품을 공급 받았고, 고대 로마 지도에도 콜롬보항이 등장하는 것을 보면 이곳은 과거부터 동서양 해상 교통로의 중심지였음을 알 수 있다.[18] 중국이 자국으로 수입되는 석유 등 에너지를 해상을 통해 갖고 오려면 반드시 인도양을 통과해야 하는데, 스리랑카의 두 항구를 중국이 거머쥔 것은 자국의 핵심 이익을 지키기 위한 전략적 거점을 확보한 것이 된다. 한편 2019년 4월에 중국 자본으로 건설된 철도가 스리랑카 독립 후 70년 만에 처음으로 개통되었다. 이 철도는 함반토타 항구에서 마타라 − 베리아타를 연결하는 길이 26.75 킬로미터 철도 연장선이다.[19]

어쨌든 이런 대규모 토목 사업은 빚이다. 스리랑카 정부 입장에서는 좋기는 하지만 부담이 되는 것 또한 어쩔 수 없다. 그러나 가난한 나라를 발전시키려면 외국의 투자가 절실한 스리랑카 입장에서는 필요악

18. 주간동아 1073호 참조
19. https://www.yna.co.kr/view/AKR20190410098600077?input=1179m 연합뉴스
20. http://news1.kr/articles/?3606200 2019년 4월 25일 자
21. 뉴스1 2019년 3월 13일자 말레이시아 총리 발언 보도 http://news1.kr/articles/?3567939

이라고 할 수 있다. 이 같은 채무 문제는 스리랑카 일부 시민들로부터 국부 유출이라는 비난이 제기되고 있지만, 사실 이런 문제 제기는 외부에서 더 자주 들어온다. 특히 미국은 중국이 일대일로 정책을 추진하면서 참여한 주변국들에게 빚더미를 안기고 그것을 이용하여 해당국들의 영토와 주권을 침해하고 있다고 비난한다. 대 중국 채무 문제는 미국이 중국을 공격하기 위한 소재로 활용되고 있는 것이다. 미국의 그 같은 반응에 스리랑카 정부의 반박이 좀 재미있다. "스리랑카는 경제 발전을 위해 차관이 필요했기 때문에 중국에 차관을 요구했고, 서방은 우리의 요구를 거들떠보지도 않을 때, 중국은 친절하게도 우리의 요구를 들어주었다."[20] 미국에게 한방 먹인 것이다. 말레시아도 비슷한 입장을 냈다. "개도국이 미국보다 중국의 대출이 더 쉽기 때문에 중국의 대출을 받고 있을 뿐, 외국의 빚을 빌리는 것은 주권국의 권리일 뿐이며, 이에 대해 빚더미에 빠질 것이라고 주장하는 서방의 논리는 일고의 가치도 없다."[21] 말레시아 총리의 말이다.

이 같은 스리랑카와 말레시아의 반응이 재미있기도 하고 좀 씁쓸하기도 하다.

스리랑카는 인도양의 전략적 요충지이다. 그동안 중국은 스리랑카의 환심을 사기 위해 많은 공을 들였다. 본 글 양국 관계에서 거론하지 않은 내용을 잠시 살펴보겠다.

스리랑카는 1948년에 영국 식민 지배에서 독립한 후 이교도들끼리 끊임없이 충돌을 하게 된다. 2009년에야 내전(1983년~2009년)을 끝

낼 수 있었다. 스리랑카 내전 종말은 뒤에서 중국이 스리랑카 정부군을 물심양면으로 지원했기 때문에 가능했다. 내전의 배경을 잠시 살펴보면, 불교(전체 인구의 약 75%가 불교신자)를 믿는 싱할린족의 집권에 티밀족(힌두교 신봉)이 반발하면서 시작되었다. 타밀족으로 구성된 반군(Liberation Tigers of Tamil Elam : LTTE)과 정부군은 무려 26년간 내전을 치뤘다. 이로 인해 약 10만 명이 사망하고 수십 만 명이 부상을 당했다. 이 와중에 심지어 스리랑카 대통령과 국방부 장관까지 숨지기도 했다. 타밀족 반군은 소형 잠수정, 헬기, 항공기까지 보유하고 한때나마 스리랑카 국토 15%를 장악하기도 했으나, 2007년부터 시작된 정부군의 총공세에 밀려 완전히 궤멸하고 말았다.

2005년에 대통령에 당선된 라자팍사는 내전 종식의 업적을 앞세워 2010년 대통령 선거 연임에 성공하게 된다. 이후부터 중국과 스리랑카는 그야말로 형제 같은 관계가 구축된다. 이 보고서에 전술한 바와 같이 중국의 대 스리랑카 투자는 '헌신적'이라고 해도 과언이 아닐 것이다. 2019년 현재 스리랑카를 포함하여 "중국 자본이 투입된 항구에서 처리되는 전세계 컨테이너 물동량이 67%나 된다."[22] 세계 10위권 항구 중에서 세 곳(두바이, 부산, 상가포르항)만 빼고 나머지 일곱 곳이 중국 항구이다.

중국의 해양 실크로드 구축에서 중요한 지역인 인도양은 과거에도 그랬고 오늘날에도 그렇고 경제적, 정치군사적으로도 전략적 요충지이다. 제국주의 영국 해군은 세계 지배 전략으로 가장 중요한 곳을 인도양 장악으로 여겼다. 오늘날 "인도양은 중동과 아프리카 지역의 석유와 천연가스 등 에너지를 수송하기 위해서 반드시 거쳐야 한다. 인도양을 매일 항해하는 유조선은 현재 100여 척이며, 2020년이 되면 150~200여 척으로 늘어날 전망이다. 전 세계 석유의 70%가 인도양을 지나가고 있는 셈이다. 전 세계 컨테이너 화물의 절반과 일반 화물의 3분의 일이 인도양을 거쳐 간다."[23] 이 인도양의 해상 무역 루트 한 가운데 툭 튀어 나와 있는 곳이 작은 섬나라 스리랑카이다.

중국의 무역은 90%가 해상로를 통해서 이루어진다. 거대한 땅덩어리와 인구를 가진 중국이 그토록 스리랑카에 공을 들이는 이유다. 이 밖에서 파키스탄 과다르항, 아프리카의 지부티항에는 중국의 첫 해외 군사 기지가 들어섰다. 지부티는 인도양 홍해를 연결하는 길목에 있고, 전세계 무역선의 30%가 지나다니는 곳이다. 중국의 해양 실크로드의 중요거점 중 하나이기도 하다.

과거 명나라 때 정화 원정대가 28년(1405~1433) 간 대규모 선단을 구성하여 지금 미국이 장악하고 있는 말라카 해협과 인도양 – 페르시아 –동아프리카로 이어지는 해상 무역로를 개척하였다. 그렇게 하여 당시 명나라는 자국 남쪽 바다에서 동아프리카까지 해상 무역로를 장악했다. 오늘날 중국이 구상하는 21세기 해상 실크로드 구축 또한 과히 제2의 정화 원정대라고 부를 만하다. 지금 트럼프가 중국에 무역전쟁

---

22. 중국 자본이 들어간 곳은 세계 50대 항구 중 무려 2/3
23. http://premium.chosun.com/site/data/html_dir/2016/05/23/2016052302096.html 2016년 5월 26일 자

을 선포한 배경도 바로 중국의 이 같은 '패권 전략'에 대한 맞대응이라고 본다.

우리는 대중 수출품이 많은데, 그 중에는 중국이 미국으로 수출하는 제품 중에 한국산 부품이 많이 포함되어 있다. 때문에 고래 싸움에 새우등 터지는 격이니 약소국의 서러움이 이와 같다. 하루 빨리 남북이 통일이 되어, 최소한 자체적으로 나마 소비와 생산이 어느 정도 균형을 이루는 나라를 만드는 일이 절실하다

2. 러시아에 대한 미국의 제재는 정당한가?[1]

러시아 입장에서 본 크림반도 병합의 당위성

2014년 3월 우크라이나 소속의 크림반도가 러시아로 병합되었다. 이후 미국을 중심으로 한 서방 진영의 대러시아 경제 제재가 시작되어 지금도 계속되고 있다. 그렇다면 러시아의 그 같은 제재가 충분히 예상되었음에도 불구하고 왜 크림반도를 자국 영토로 편입하는데 동의했을까 라는 의문을 가질 수 있다.

크림반도에 대해서 언급을 하자면 먼저 우크라이나에 대해 살펴볼 필요가 있다. 즉 해당 시기에 도대체 우크라이나가 무슨 일을 어떻게 벌였기에 크림반도 주민들이 스스로 러시아로의 편입을 원했으며, 러시아 또한 그들을 왜 받아들일 수밖에 없었는지를 알아보려고 한다. 이와 관련하여 나의 주장은 '러시아의 크림반도 병합은 지극히 상식적이

---

1. 일제강점기사할린징용한인희생자추모관을 자비로 건립한 현덕수 회장은 소위 우크라이나 사태로 인해 자신의 재산이 절반으로 줄었다고 하소연 한 적이 있다. 미국이 러시아에 경제 제재를 감행하여 루블화가 폭락했기 때문이라고 했다. 이에 관심을 갖고 미국의 그 같은 행위가 정당한지 파악해 보기 위해 이 글을 쓰게 됨

고 당연한 일'이라는 것이고, 따라서 '미국과 서방의 대러 제재는 매우 부당하다'는 점을 밝혀내려고 한다.

우선, 우크라이나와 러시아의 관계를 알아보려한다. 이를 통해 러시아가 생각하는 우크라이나, 우크라이나가 생각하는 러시아에 대해서도 알아보겠다. 다음으로는 원래 러시아 영토였던 크림반도가 어떻게 해서 우크라이나로 편입되었는지를 그 과정을 좀 알아보겠다. 관련하여 과연 러시아의 크림반도 병합이 팽창적이고 침략적인 정책에서 비롯된 것인지, 아니면 크림반도 주민들의 정체성 회복과 자결주의에 의해 비롯된 것인지도 자연스럽게 드러나게 될 것이다. 그리고 구소련의 승계자가 현재의 러시아라는 점을 재확인하겠다.

선행 연구 자료는 될 수 있는 한 2014년~2019년 4월까지의 관련 논문, 학술지, 언론자료 등을 좀 살펴보고, 연구의 범위는 구소련 해체 시기엔 1991년부터 2019년 4월까지 우크라이나의 對러시아, 러시아의 對우크라니아 정책을 중심으로 살펴볼 것이다.

우크라이나와 러시아의 관계 : 러시아에 대한 뿌리 깊은 적대감

1929년~31년 사이 우크라이나에서 수백만 명이 굶어죽었다. 이것을 홀로도모르(Holodomor)라고 한다. 우크라이나 말인 홀로도(Holodo)는 굶주림을 뜻하는 것이고 모르(mor)는 없애다, 제거하다는 뜻이다. 합성하여 홀로도모르가 된 것이다. 우리말로 해석을 하면 '굶어죽이기'또는 '아사 작전' 정도로 해석할 수 있겠다.

여기서 궁금해진다. 우크라이나가 산악지대나 사막지역도 아닌데 왜 그렇게 많이 굶어죽었을까. 우크라이나가 유럽에서도 손꼽히는 곡창지대라는 점에서 그러한 죽음은 참으로 아이러니 하다. 여기서 잠깐, 우크라이나 땅이 얼마나 농사가 잘되는 비옥한 땅인지를 살펴보겠다.

우크라이나는 씨를 뿌리면 100배나 되는 소출을 내는 땅이다. 해마다 파종을 할 필요도 없다. 가을에 한번 씨를 뿌리면 그 이듬해 여름에 무려 세 번 씩이나 수확을 가능하다. 3, 4일이면 풀이 자라 방목한 소의 몸통은 안보이고 겨우 뿔만 보일 정도다. 그 정도로 풀이 빨리 자라나는 그야말로 기름진 땅이었다. 꿀벌이 하도 많아 나무에는 물론이고 심지어 동굴 속에도 꿀을 저장해 놓아, 꿀이 차고 넘쳐 샘물처럼 흘러내릴 지경이었다. 물론 이러한 표현에는 과장이 있을 수 있다. 그러나 그만큼 우크라이나가 먹거리만큼은 풍성했다는 것을 잘 확인할 수 있는 대목이다.[2] 그런 비옥하고 풍요로운 땅에서 어떻게 수백만 명이 굶어죽었다는 것인지 도무지 믿기지 않는다.

내막은 이렇다. 당시는 스탈린 집권기. 스탈린은 산업화를 촉진시키기 위해 재원이 필요했는데 그 재원을 농업 부문에서 충당할 수밖에 없었다. 그러자면 국가가 농업을 완전히 장악해야 하는데, 즉 집단농장화를 추진해야 했다. 당시 대다수 지역의 농민들은 '미르'라는 이름으로 농지를 공유하고 있었다. 그것은 소련 지역의 오랜 전통이기도 했다. 그런 지역은 집단농장화에 대한 저항이 없었다. 문제는 우크라이나 지역이다. 그곳은 비옥한 땅으로 농사가 너무 잘되다 보니 집단소유보다는 개인소유가 유달리 많았다. 소련 전체 농산물 생산량의

---

2. 『코자크와 우크라이나 역사』 pp 143~144, 미하일로 흐루솁스키, 허승철 편역, 문예림, 2017

30%를 차지할 정도였다.

당국에서 우크라이나 지역 지주(Kulak이라고 불린 부농)들에게 농지를 내놓고 집단농장으로 만들어야 한다고 하자 이들의 반발이 극렬했다. '쿨락'들은 당국에 농산물을 갖다 바치느니 차라리 태워 없애자며 수확한 농산물을 모아놓고 불을 지르고 가축들은 도살하여 내다버렸다. 그 같은 저항으로 농산물 수확이 줄어들었지만 모스크바는 예전보다 더 많은 농산물을 징발해 갔다. 상식적으로 보면 수확한 농산물이 줄었다면 징발해 갈 농산물의 량도 줄어야 하는데, 줄기는커녕 오히려 더 많이 징발을 해 가니 사람들이 굶어죽지 않고 무슨 재간으로 버티겠는가. 심지어 다음해에 파종으로 쓸 종자까지 징발해 갔으니 먹을 것이 바닥나는 것은 불을 보듯 뻔한 일이었다.

굶주림에 지친 농민들이 들판에 떨어진 알곡을 주워 먹다가 비밀경찰들에게 총질까지 당하는 일까지 벌어졌다. 우크라이나 전역에서 굶어죽는 사람들이 속출하였는데도 소련당국은 식료품 지원을 일절하지 않았다. 거꾸로 우크라이나로 들어가는 식료품 수송 루트까지 차단해 버렸다. 스탈린의 이런 못된 정책으로 인해 1932년~33년에 걸쳐 "직접적인 아사자나 이후 합병증으로 숨진 사람은 600~800만 명, 최대 1,000만 명"에 육박했다. 당시 우크라이나에서 굶어죽은 사람 중 절반에 이르는 사람들이 유럽에서 가장 농산물을 많이 생산하던 북부의 '쿠반' 지역에서 나왔다.

이 홀로도모르는 스탈린이 단순히 정책을 잘못 펴서 벌어진 일이 아니다. 고의성이 충분하다고 봐야 한다. 왜냐면 1933년도 소련의 곡

물 수출량이 180만 톤에 달했기 때문이다. 역사 학자 노먼 나이막(Norman Naimak)은 홀로도모르를 제노사이드(Genocides)라고 주장한다.

우크라이나 정부는 해마다 11월 4주차 토요일을 홀로도모르 희생자들을 추모하는 기념일로 정해 놓고 있다. 2004년 소위 오렌지 혁명으로 집권한 빅토로 유시첸코는 반러시아 입장을 분명히 하면서 홀로도모르에 대한 진상규명에 나서기도 했고, 2006년 유엔총회에는 제노사이드로 규정해 달라고 촉구하기도 했다.

그 외 역사적으로 우크라이나가 러시아에 대해 적대 감정을 가질 수 있는 몇 가지 사건이 있긴 하지만, 우크라이나가 지금의 러시아에 대해 강한 적대감을 갖고 있는 계기가 된 것은 홀로도모르 사태라고 단정해도 무리는 아닐 것이다. 당시 소련의 승계자가 현재의 러시아이기 때문이다.

러시아가 생각하는 우크라이나

'우크라이나'라는 이름은 변경지역이라는 뜻이다. 서양 기독교 문명의 가장 동쪽 변두리라 붙여진 이름이다. 고대 이 지역은 따로 주인이 있지 않아서 많은 사람들이 몰려오게 되었다.

과거에도 그렇고 오늘날에도 그렇고 러시아 입장에서 우크라이나는 지리적으로 볼 때도 서구 세력들과의 일종의 완충 지대에 자리 잡고 있기에 전략적으로 대단히 중요한 지역이다.

옛 동구권이었던 폴란드와 헝가리, 루마니와, 슬로바키아는 나토

회원국으로 이미 가입해 있다. 이들 나라와 이웃한 우크라이나 마저 그 블록에 포함된다면 러시아의 서쪽 경계선은 서방과 바로 밀착되어 정치군사적으로 매우 불안한 상태가 될 것이다.

우크라이나가 구 소련과 현 러시아에 전략적으로 얼마나 중요한 지역인지를 잘 알 수 있는 말이 있다. 볼세비키 혁명을 성공시킨 레닌은 '우크라이나를 상실한다면 우리는 머리를 잃는 것이다'고 말했을 정도이다. 레닌의 그 같은 언급은 우크라이나가 지정학적으로 오늘날의 러시아에 있어서도 사활적 이해관계가 걸린 핵심지역이라는 것을 대변했다고 할 것이다.

러시아의 근외정책[3] 가운데 우선 순위에는 항상 독립국가연합(CIS 지역)에 관한 것이다. 러시아 외교부가 매 5년마다 발표하는 외교 정책 개념은 CIS 지역 국가들과의 관계를 최우선 순위로 두고 있다. 그 중에서도 우크라이나 정책이 핵심이다. 왜 그런가. 우크라이나는 한 나라가 강대국으로서 발돋움하기 위해 갖추어야 할 조건을 잘 갖추고 있다. 영토, 자원, 인구라는 삼박자를 다 갖춘 것이다.

우크라이나의 인구는 CIS 지역에서 러시아 다음으로 많고, 유럽에서는 다섯 번째이다. 영토 면적 역시 유럽에서 최대이고 우라늄, 석탄, 마그네슘, 원유, 철 같은 지하자원도 풍부하다. 지정학적 위치도 유럽으로 가는 통로이며, 반대로 유럽은 우크라이나가 러시아로 가는 통로가 되는 셈이다. 이 때문에 미국과 러시아가 우크라이나를 자기 영역

---

3. '근외'라는 말은 가까운 외국, 즉 구 소련에서 독립한 나라들을 일컫는 말이다. 그들과 관련되는 러시아의 외교 정책을 '근외 정책'이라고 부른다.

에 두려고 각축을 벌이고 있는 것이다. 러시아로서는 우크라이나가 미국과 서구의 영향권으로 들어가는 것을 결코 좌시할 수 없다. 때문에 우크라이나의 EU 가입을 용납할 수 없는 것이다. 여기서 우리는 지난 독일 통일 시기에 미국과 EU가 당시 소련의 동의를 구하면서 한 약속을 되새겨 볼 필요가 있다.

동서독을 가로막고 있던 베를린 장벽이 1989년 11월 9일 무너졌다. 당시 동독은 국가 행정력이 이미 주민들에게 미치지 못하는 사실상 무정부 상태로 되어가는 중이었다. 서독은 그런 기회를 이용해 하루빨리 통일을 이루어야 할 입장에 놓이게 되었다. 그런데 통일을 하자면 동독 주둔 소련군 문제로 인해 소련 정부의 승인이 필수적이었다. 이에 당시 서독 외교부 장관인 한스디트리히 겐셔는 1990년 1월 31일 공개 선언을 통해, 독일이 통일이 되고 난 후에 나토의 동진(소련 영향권 지역 국가) 확장은 절대 없을 것이라고 약속을 했다. 2월 6일에는 영국 외교장관 더글러스 허드를 만나서 나토가 동쪽으로 진출할 의도가 없다는 성명서를 발표해야 한다고 제안을 했다. 또한 당시 미 국무장관 제임스 베이커는 모스크바로 달려가 나토가 결코 동진을 하는 일은 없을 것이라고 고르바초프 서기장과 세바르나제 외무장관에게 그런 보장을 했다. 당시 베이커는 두 안을 고르바초프에게 제시했다. 첫째는 "나토 밖에서 미군이 없는 통일 독일"이고 두 번째는 "나토의 관할지역이 현재 위치에서 한 치라도 동쪽으로 움직이지 않는다는 보장

---

4. 한겨레 2015. 2.15일자. http://www.hani.co.kr/arti/international/europe/678575.html
5. 러시아인들의 그런 생각이 옳든 그렇지 않든 그들은 그렇게 생각하고 있다는 것.

아래서 나토와 연계된 통일 독일이냐"는 것이었다.

당시 서독의 콜 수상은 모스크바로 달려가서 고르바초프에게 나토의 동진은 결코 없을 것임을 재확인해 주었다. 고르바초프는 마침내 그날 독일 통일에 동의했다. 1990년 2월 10일이다. 여기서 주목해야 할 인물이 있다. 통독 과정에서 미국과 독일이 소련에게 다짐하고 약속한 내용을 지켜본 이가 있었으니 그 사람이 바로 지금의 푸틴 대통령이다. 그는 당시 동독 주재 KGB요원으로서 그 역사적 현장의 산증인인 셈이다.[4]

한편 러시아는 우크라이나, 벨라루스와 함께 동슬라브족이다. 그 중에 러시아가 사실상 큰형님에 속한다고 볼 수 있다. 지난 역사를 보더라도 최초의 통일 왕국인 키예프 루시 기간을 제외하고 로마노프 왕조, 1917년 볼세비키 혁명 성공이후 소련 시기에도 러시아는 우크라이나, 벨라루스보다는 국제 사회에서 늘 우위에 있어왔기 때문이다. 여기서 한 가지 주목해야 여론조사가 있다. "2013년 10월 러시아 여론 조사 기관인 레바다 센터(Levada Center)에 따르면 러시아인 응답자의 61%가 우크라이나를 외국으로 여기지 않는다"고 답변했다는 점이다. 이것은 러시아들이 우크라이나를 별도의 독립된 주권국으로 보는 것이 아니라 그냥 러시아와 단일한 국가로 인식하고 있다는 반증으로 볼 여지가 충분한 것이다.[5]

러시아의 대외정책

러시아는 소련이 해체된 후 그 지위를 고스란히 물러 받아 국제사회에서 여전히 영향력 있는 국가로 평가 받고 있다.[6] 유엔안전보장이사회 상임이사국이 러시아라는 것은 구소련의 지위를 그대로 승계했다는 것을 말해 주고 있다. 또한 여타의 국제기구와 각국에 주재하던 구소련의 외교관들과 영사 등이 특별한 절차 없이 그대로 그 지위를 이어갔던 것 역시 소연방 해체이후 법적으로도 러시아가 그 지위를 인정받았음을 알 수 있는 사례들이다. 여기서는 현 푸틴 대통령까지의 러시아 외교정책이 어떠했는지를 개괄적으로 살펴보고자 한다.

1) 정책기조

① 옐친 시기

1993년 11월 2일 러시아 연방 국가안보위원회는 '신군사독트린'을 채택했다. 이것은 러시아 외교 정책의 기조라고도 할 수 있다. 그 내용은 다음과 같다. ▲러시아는 특정 국가를 가상의 적으로 규정하지 않으며, ▲러시아의 국익을 해치는 나라가 아닌 모든 국가는 동반자로 여기고, ▲군사력 사용은 방어적으로만 사용하며, 핵무기는 전쟁 수행을 위한 것이 아니라 억지 수단임을 규정한 것이다.[7] 이것은 다분히 미국과 서구를 염두에 정책이다. 그러나 미국과 서구는 옐친을 신뢰하지 않았다. 결국 옐친의 친미 서구정책은 실패했다고 봐야 할 것이다.

---

6. 초강대국의 지위는 잃었지만 그래도 중국과 함께 미국에 맞설 수 있는 나라임에는 틀림없다.
7. 『러시아사』, P661, 김학준 장덕준 공동 집필, 단국대학교 출판부, 2018 증보개정판

② 푸틴 시기

2000년 6월 28일에 취임한 푸틴 대통령은 '러시아의 새외교 정책 개념'을 채택했다. 내용을 살펴보면, ▲외교가 강력한 국가 형성과 경제발전에 도움이 되어야 할 것과, '러시아는 과거에도 초강대국이었고 현재도 초강대국이며 미래에도 언제나 초강대국일 것'을 천명하였다. ▲미국에 대한 경계심 ▲러시아 연방 내의 분리주의자들과 민족 및 종교 갈등의 심화되는 것을 우려 ▲나토의 동진정책에 대한 반감 ▲아시아 중시 정책 등이다.

푸틴 2기(2004년 3월 재선)의 외교 방침을 한마디로 설명하면 '실용주의적 강대국 지향 외교'라고 할 수 있다. 그러면서도 1기 때보다는 공세적인 외교 정책을 펼친다. 일례로 2005년 4월 24일, 러시아 상하 의원에서 연례교서를 발표 했는데, 그 내용을 보면 '소련 해체는 20세기 최악의 지정학적 재앙'이라고 강조한 것이다. 이 말은 소련 해체로 인해 초강대국의 지위를 잃었다는 것에 대한 한탄이며, 따라서 향후 러시아를 다시 강대국의 반열에 올려놓겠다는 푸틴의 강력한 의지를 읽을 수 있는 대목이기도 하다.

그러나 러시아가 다시 '정상적인' 강대국 반열에 오르기 위해서는 이른바 '형제 국가'들이라고 불리는 구 소련지역 독립 국가들과의 유대 강화와 그들을 러시아의 영향권에 두지 않으면 안 된다. 이와 관련해서는 잠시 후 러시아의 '근외 정책'에서 개괄적으로 살펴보겠다.

푸틴 3기의 외교 정책은 2012년 3월 4일 대통령 선거에서 63.64%라는 높은 지지율로 다시 당선되면서부터 시작되었다. 3기의 외교정책도 이전의 기조를 유지하면서 국익과 강대국 러시아의 독자 노선이라는 방침에 의거, 공조보다는 미국과 서방을 견제하면서 대립하는 구도가 만들어지게 되었다.

2) 근외 정책

러시아는 1990년 중반부터는 CIS(Commonwealth of Independent States : 독립국가연합) 지역을 대외 정책에서 가장 중요한 지역으로 여겨 왔다.

푸틴은 집권 2기에 들어서부터는 구 소련 시절에 가졌던 강대국의 영광을 되찾기 위한 노력에 박차를 가한다. 그런데 그 정도의 영향력 있는 강대국이 되기 위해서는 구 소련 지역의 독립 국가들을 러시아의 영향권 하에 반드시 묶어 두지 않으면 안 된다.

이들 국가들에 대한 러시아의 대외정책을 근외정책이라고 하는데, 이 근외정책을 두 부문으로 나눠서 살펴보겠다.

먼저 군사안보 부문이다. 러시아는 2002년 10월 벨라루스, 카자흐스탄, 아르메니아, 타지키스탄, 키르키즈스탄과 함께 CSTO(Collective Security Treaty Organization :집단안보조약기구)를 창설했다. 2006년 6월에 우즈베키스탄이 여기에 가입했으나 2012년 6월에 조약을 탈퇴했다. 이 기구는 역내 테러방지, 마약밀거래, 재난구호, 군사적 위협 등에 공동으로 대응하고 신속 대응군을 창설하는데 합의했다.[8] 러시아는 또한 중국과 공동으로 중앙아시아 지역의 국경 분쟁을 지양

하고 테러, 분리주의 등 극단 세력들의 움직임을 차단하고 예방하기 위해 지역 국가들과 '상하이협력기구'를 통해 다자 안보의 틀을 유지시켜오고 있다.

경제부문을 보면, 러시아 주도로 2000년 10월 10일 벨라루스, 카자흐스탄, 키르키즈스탄, 타자키스탄을 포함한 '유라시아경제공동체'라는 기구를 결성했다. 이를 통해 회원국 간의 무비자로 자유 왕래를 보장하고 대학끼리 상호 입학을 허락, 상호 학위 인증 등을 수여키로 하는 성과를 냈다. 나아가 관세 및 운송 동맹, 에너지 개발과 이민 정책 등을 공동으로 추진하는 등 총 6개 부문의 협력에 합의했다. 우즈베키스탄은 2006년 1월 가입하였으나 2008년 10월 탈퇴했다. 이 조직은 이후 EEU(Eurasian Economic Union 유라시아경제연합)로 발전하게 되었다.

한편 2006년 1월, 2009년 1월에 각각 가스 인상 요구안을 거절한 우크라이나에 괘씸죄를 작용하여 가스밸브를 잠금으로서 큰 파문을 일으켰다. 이처럼 러시아는 근외 지역 국가들에 대해 당근과 채찍으로 자신의 영향력을 꾸준히 유지해 가고 있다.

2013년 2월에 발표된 '러시아 연방의 대외정책 개념'에서는 여전히 CIS 지역이 러시아 외교 정책에서 핵심적인 비중을 차지하고 있음이 드러나 있다. 이 지역에서 정치, 군사, 외교 분쟁을 예방·해결하고 경제협력 촉진, 지역통합을 주도하기 위해 안보는 집단안보 체제로, 경제는 경제연합을 통해 협력과 통합을 도모하려는 것이다.

---

8. 위키백과 https://ko.wikipedia.org

러시아의 이러한 근외정책 기조는 2015년 1월 1일 '유라시아경제연합(EEU)'이 국제기구로 정식 출범하게 된 계기가 된 것이다. 이로서 4조 달러(구매력 기준)가 넘는 역내 GDP 규모와 1억 8천명의 인구를 가진 경제공동체가 탄생한 것이다. 이에 러시아는 CIS 지역의 경제 통합에 머물지 않고 궁극적으로는 유럽연합과 비슷한 형태로 공동 화폐 사용, 정치·군사·외교 정책의 공동 수립, 공동의회 구성, 문화적 통합 등 포괄적인 통합을 추구하게 된다. 그러다 2015년 5월 시진핑-푸틴 회담이후 이러한 정책을 상당 부분 수정하게 되었다. 하지만 이후 2016년 11월에 발표된 러시아의 새 외교 정책 개념에는 이전 정책과는 달리 EEU 회원국들 간의 국가 통합과 확대를 목표로 하고 있다.

크림공화국은 왜 러시아로 편입을 원했나

1) 크림반도 역사 개요

크림반도는 지리적으로 유라시아를 잇는 해양 관문이기도 한 탓에 수세기에 걸쳐 그리스, 훈족, 비잔틴 제국, 몽골 제국 등으로부터 침략당하고 지배 받아오다 1783년 러시아 예카테리나 여제에 의해 최초로 러시아 제국으로 합병되었다.

그로부터 계속 러시아의 점령하에 있던 크림지역은 19세기 중반(1853~1856년) 러시아와 오스만의 충돌로 전쟁터가 되었다. 소위 크림전쟁이다.[9] 당시 남진하려는 러시아와 이것을 막고자 하는 오스만

제국(지금의 터키), 프랑스, 영국 등의 연합국 대 러시아가 충돌하고 만 것이다. 크림 전쟁의 패배로 러시아는 남동쪽에 대한 지배력을 상실하였다. 전화위복이라고 할까, 러시아는 이 전쟁의 패배로 자신들의 후진성을 극복하려고 경제와 군사부문을 크게 개혁하여 근대화를 추진해 나라의 발전을 이루게 되었다.

1917년 10월, 레닌의 사회주의 혁명으로 제정 러시아가 무너지고 소연방이 들어선 뒤 몇 년 간 이어진 내전 동안 크림반도는 혁명에 저항하는 백군의 마지막 거점지가 되기도 했다. 그러나 결국 백군이 패퇴함으로서 1921년 크림반도 역시 소연방 산하 크림자치공화국이 되었다.

제2차 세계대전 때 크림은 또다시 전쟁터가 되었다. 남부의 세바스토폴에서 1941년 10월~1942년 7월까지 약 250일에 걸쳐 벌어진 나치와 소련군의 전투는 2차 세계대전 중 가장 치열한 전투 중 하나로 꼽힌다. 당시 세바스토폴은 독일군에게 포위당한 채 180일을 버티었지만 위력적인 독일군의 대포 공격으로 결국 폐허가 된 채 함락되고 말았다.

독일군 침공 직전에 세바스토폴 인구가 11만 명이었는데, 전투가 끝난 후 3천 명으로 줄어든 것만 봐도 이 전투가 얼마나 치열했는지를 알 수 있다. 그러나 비록 전투에는 졌지만, 당시 소련군들의 전투영웅담은 다른 전장에서 나치 독일을 물리치는 강력한 동기부여가 되었다.

---

9. 톨스토이는 크림 전쟁에 포병장교로 참전했다. 그가 쓴 『세바스토폴 이야기』는 전쟁의 참상과 그것이 인간 내면에 미치는 영향을 잘 묘사한 것으로 유명하다.

이 때문에 세바스토폴은 독일군의 '1000일 공세'에도 지치지 않고 끝내 막아낸 레닌그라드와 함께 2차 대전 시기 대독 항쟁의 영웅도시로 명성을 떨쳤다. 지금도 크렘린 뒤쪽의 '무명용사의 묘'에는 세바스토폴에 관한 기록이 있을 정도다.

그러면 지금부터는 이 크림반도가 어떻게 우크라이나 영토가 되었는지를 살펴보겠다. 1954년 당시 소련 공산당 서기장 흐루시초프가 페레야슬라프 조약 체결 300주년을 기념하여 크림반도를 전격적으로 우크라이나 공화국으로 편입시켜 버렸다.[10] 이 페레야슬라프 조약으로 인해 우크라이나와 러시아(제정 러시아)는 사실상 하나의 국가가 되었다고 봐야 한다. 그렇다면 이 조약이 뭔지 잠시 살펴볼 필요가 있겠다.

지금의 우크라이나 뿌리는 '키예프 루시'라는 동슬라브족 최초의 통합 봉건국가가 그 역사의 시작이라 할 수 있다. 882년에 '올레그 공'(公)[11]이 세웠다. 하지만 1240년 몽골의 침략으로 망한 후 210년간 식민 지배를 받았다. 몽골의 지배가 끝난 후에도 오스만 튀르크(터키), 몰도바, 폴란드, 리투아니아의 잦은 침략으로 제대로 된 독립을 유지하지 못했다.

러시아와의 국제적 관계로는 우크라이나가 16~17세기, 폴란드라는 수렁에서 벗어나기 위해 러시아에 구원을 요청하면서부터다. 폴란드는 1569년 리투아니아를 병합하고 우크라이나까지 손아귀에 넣었다. 이에 코자크[12] 지도자 '보그단 흐멜니츠키'는 러시아와의 통합을 결심하게 된다. 같은 슬라브족이고 같은 정교를 믿는 러시아야말로 통합의 상대로 가장 적격이라고 생각한 것이다. 이 통합을 위한 조약이 바로 페레야슬라프 조약이다. 당연한 말이지만 이 조약은 대등한 통합이 아닌 사실상 우크라이나를 러시아에 바친 것이나 마찬가지이다. 왜냐하면 우크라이나의 각 영주들이 러시아의 황제에게 충성 명세를 했기 때문이다. 폴란드의 지배에서 벗어나고자 했던 우크라이나는 독립은 커녕 이제는 러시아의 일부가 되어버린 것이다. 이후 러시아(로마노프 왕조)는 리투아니아, 폴란드와 전쟁을 벌여 갈라치아, 부코비나만 빼고 18세기 말경에는 거의 모든 우크라이나 땅을 통치하기에 이르렀다. 1917년 혁명전까지 약 300년 가까이 우크라이나는 그렇게 小러시아, 南러시아로 불리었다. 1954년 흐루시초프의 즉흥적인 발상으로 인해 오늘날 소위 우크라이나 사태(러시아의 크림반도 병합)의 발단이 된 것이다.

---

9. 1992년 1월, 러시아 의회는 흐루시초프의 이러한 행위가 당시 소련 헌법을 위반한 불법적인 것이 었다는 결의문을 채택하였다.

10. "991년 올렉이 비잔틴과 체결한 조약이 있어서 10세기 초 그가 키예프를 지배했다는 사실이 증명 된다." 『코자크와 우크라이나의 역사』 P56, 허승철 편역, 문예림, 2017년

11. 코자크의 형성 과정은 여러 복합적인 요인이 섞여 들어갔고, 형성 시기도 특정한 시기로 단순화하기는 어렵다. 그에 대해서 여러 학설이 나왔는데, 가장 이른 시기를 주장하는 사람은 '바실리 글라즈코프'로 동로마, 이란, 아랍의 문헌에서 10세기에도 코자크가 우크라이나 스텝 지역에 존재했다는 주장을 펼친다. 이에 대해서는 러시아의 사학자 카람진도 1223년 몽골군의 동유럽 침략 이전에도 존재하였다고 언급하면서 힘을 보태고 있다. 본격적으로 코자크가 역사 속에서 주요한 세력으로 등장하는 것은 15세기이다. 이 시기를 보통 '우크라이나의 코자크 시대', '코자크 시대'라고 하기도 한다. 이 우크라이나 코자크들은 14세기 즈음에 형성이 되었다고 추측된다. 13세기 몽골 제국의 침략으로 키예프 공국과 여러 제후국이 사라지고 몇몇 슬라브 인들이 남부 러시아 스텝 지역으로 흘러들어가 반유목화가 된 것을 그 기원으로 잡기도 하고, 몽골군에서 떨어져 나간 몽골인들과 튀르크계 유목민족의 일부가 이 시기에 슬라브화가 되어 코자크를 형성했을 것이라는 학설도 있다. 아마 코자크 집단의 기초를 형성하는 과정에서 이 2가지의 민족 그룹이 가장 큰 역할을 했을 것이다. 〈출처 : 나무위키〉

2) 러시아로의 편입과정과 그 당위성

크림반도 주민들이 거의 처음으로 자치권을 요구한 때는 1989년 여름이다. 당시 우크라이나 의회는 우크라이나 언어만이 공식 언어로 사용할 수 있도록 조치하는 언어법을 제정하려고 하였으며, 이에 반발한 크림반도 주민들이 자치공화국의 지위를 요구하면서 분리주의 움직임이 싹트게 되었다.[13]

한편 우크라이나는 1990년 7월 주권국임을 선언하였다. 이에 크림반도 주민들은 소연방 최고회의에 1945년 박탈당한 크림반도의 자치권을 원상회복해 줄 것을 촉구하였다. 1991년 1월에는 크림자치공화국 획득 여부에 대한 크림반도 주민 투표가 실시되어 81% 투표율에 약 93%의 자치공화국지지 찬성을 이끌어 냈다.

여기서 잠깐, 1995년 1월 우크라이나 중앙 정부에서 크림지역의 자체 헌법과 대통령직을 없애버릴 때까지의 과정을 살펴보자. ▲1993년 1월, 세바스토폴에서 두 차례의 시위. 세바스토폴의 러시아로의 재합병요구 ▲1993년 7월 러시아 최고회의, 크림반도 세바스토폴 항구가 러시아 영토임을 주장, 흑대 함대 독자적인 통제권 행사 결의문 채택. 이에 크림 분리주의자들과 흑해함대 군인 장교단 모임 등 크림 내 친러시아 인사들은 최고회의의 결의를 환영. '러시아인 회합당'(Russian Society)도 이에 동조하며 對 우크라이나 무장투쟁도 불사하겠다고 천

---

9. "크리미아 갈등의 해결과정과 러시아 · 우크라이나 관계연구" 우준모, 한국외국어대학교, 『세계지역연구논총』 제22집 1호, 2004년

명 ▲1994년 3~4월, 크림반도 최대 정치조직인 메쉬코프의 러시아 블록당은 우크라이나 의회선거를 보이콧. 이에 따라 세바스토폴의 23개 선거구에서 12개 선거구는 우크라이나 의회의원을 배출하지 못함. ▲ 1994년 1월 30일, 크림반도의 친러시아 정치인 메쉬코프는 75%의 지지로 크림반도 대통령에 당선. 메쉬코프는 1991년 크림 공화당을 창당하면서부터 크림반도의 분리독립을 주장한 인물 ▲1994년 5월 20일, 메쉬코프는 1992년 5월에 입안되었던 크림 헌법을 러시아 블록을 통하여 의회에 재상정하여 우크라이나 중앙정부와 갈등. 이 헌법은 크림과 우크라이나가 같은 주권국임을 조약으로 체결할 것과 이중 시민권을 보장하고, 크림에서 자체적으로 군대를 창설한다는 것이 명시되어 있음. ▲1994년 5월 30일, 크림의회가 '1992년 헌법'을 상정하려던 계획을 철회. 이는 크랍축 우크라이나 대통령과 나토 등이 크림반도의 독립을 강력히 반대하고 나서며 군사적 충돌까지 우려된 상황에서 철회한 것. ▲1995년, 1월, 크림 의회가 소련 연방을 부활시키자는 결의안을 통과. 벨라루스, 우크라이나, 러시아 중앙정부에 통합을 강화할 것을 제안. 이는 CIS 강화를 반대하는 우크라이나 입장과 완전히 배치되는 것. ▲1995년 3월, 크림이 독립을 위한 국민투표를 실시할 계획을 밝히자 우크라이나 중앙정부는 크림 헌법을 정지키시고 메쉬코프 대통령의 지위를 없애버림.

이로부터 2014년 3월 11일, 크림자치공화국은 마침내 전격적으로 독립을 선언하였다. 세바스토폴市 역시 우크라이나로부터 독립을 선언하게 되고, 이에 같은 달 18일에 러시아 푸틴 대통령, 악쇼노프 크림

총리, 콘스탄티노프 크림 의회의장, 찰리 세바스토폴 시장이 모스크바에서 모여 합병 조약에 서명을 하게 되었다. 이튿날인 3월 19일에는 러시아 헌법재판소가 크림의 합병이 합헌이라고 선언하였다. 20일에는

년/월/일	관련 내용	비 고
2010/2/25	친러 Yanukovich 대통령 취임	
2013/11/25	Yanukovich, EU 제휴 협정추진 중단 및 소요 발생	
2014/2/22	친서방 야당 의회 장악, Yanukovich의 대통령직 박탈 및 조기대선 실시 의결	
2014/3/11	우크라이나 소속의 크림자치공화국은 전격적으로 독립을 선언	세바스토폴 시 동참
2014/3/16	크림, 러시아와의 합병 주민 투표 실시	96.6% 찬성
2014/3/17	푸틴, 크림 공화국의 독립 국가 지위 승인	
2014/3/18	푸틴, 세르게이 악쇼노프 크림 공화국 총리, 블라디미르 콘스탄티노프 크림 공화국 최고회의 의장, 알렉세이 찰리 세바스토폴 시장, 크렘린에서 러시아와 크림 공화국 합병 조약 서명	
2014/3/19	러시아 연방 헌법 재판소 만장일치로 합병조약 합헌판결	
2014/3/20	러시아 연방 두마(하원) 합병 찬성 의결	443명 중 442 찬성
2014/3/21	러시아 연방 상원인 연방평의회 합병 조약 승인	155명 전원 찬성
2014/3/21	러시아 푸틴 대통령, 크림과의 합병에 최종 서명	
	크림 공화국 러시아 루블화 공식 도입	
2014/3/24	기존 우크라이나 키예프 시간대(UTC+2) → 모스크바 시간대(UTC+3)로 변경	
2014/3/30	크림 공화국 의회 자체 헌법 채택	
2014/4/11		100명 가운데 88명 참석. 내용은 크림공화국이 러시아 연방의 합법적이고 민주적인 공화국이며 크림 공화국의 영토가 러시아 연방의 일부임을 규정

〈표 1〉[15]

러시아 연방 두마(하원)가 합병 조약을 승인했고, 21일에는 연방 상원이 승인했고, 이에 따라 푸틴이 크림공화국과의 합병에 최종 서명을 하게 되었고, 이로서 법적인 절차는 모두 마무리 되었으며 공식적인 합병은 2015년 1월 1일 성립하게 되었다. 이때부터 크림반도는 완전한 러시아의 영토가 되었다.[14] 이렇게 된 과정을 〈표 1〉로 정리해 보았다.

이상과 같이 살펴 본 바, 크림 주민들은 끊임없이 우크라이나서 분리되려고 시도를 하였고 끝내 성공했다. 왜 크림지역 주민들이 그토록 우크라이나에서 분리되려하는지 〈표 2〉를 보면 유추해 볼 수 있다.

민 족	구성원 수(%)	언어	종 교	언어
러시아	1,188.97명 (65.2%)		정교	
우크라이나	291,603명 (16.0%)		정교	
타타르	229,526명 (12.6%)	러시아어 : 84%	이슬람교	러시아어 : 98%
벨라루스인	17,919명 (1.0%)			
아르메니아인	9,634명 (0.5%)			

〈표 2〉[16]

2014년, 크림반도가 러시아로 병합됨에 따라 주민들 98%이 이상 러시아 국적을 취득하였다. 위 표는 당시 실시된 여론조사를 표로 정리한 것이다. 본인이 어느 민족에 속하는지를 묻는 질문에 65.2%가 러시아에 속한다고 답변을 한 것이다. 이 조사는 2001년 우크라이나 정부가 조사한 후로는 처음이다.

---

14. 주한 러시아 대사관 홈페이지
15. 인터넷 포털사이트 검색 후 보고자가 표로 재정리
16. 인터넷 위키 백과를 토대로 재정리

지금까지 개괄적으로나마 우크라이나와 러시아의 관계, 크림반도 주민들의 러시아로의 병합요구 과정을 살펴보았다. 필자의 글에서 알 수 있듯이 크림반도 편입은 그곳 주민들의 자발적인 요구에 의해 시작되었고 끝내 그들은 고향 러시아로의 편입을 민주적인 방식으로 이루어냈다. 자결주의 원칙에 입각하여 당당하게 자신들의 뜻을 이룬 것이다. 한편 러시아로서는 당연히 본래의 자신들 영토를 되찾은 것뿐이다. 이를 테면 부부가 이혼을 하게 되면 결혼 전 취득하여 갖고 온 배우자의 재산은 이혼시 부부 공동 재산으로 인정되지 않아 재산 분할의 대상이 포함 되지 않고 그 배우자의 본래 재산으로 그대로 돌려주게 되어 있다. 이것은 러시아 법에도 그렇게 되어있고, 비록 그것이 영토라 할지도 이에 해당된다.[17] 그렇다면 더더욱 러시아 입장에서는 크림반도를 강제로 빼앗아서라도 가져 와야 할 판인데 하물며 자발적으로 편입을 원하는 크림 반도 주민들의 뜻을 받아들이지 않을 이유가 없는 것이다.

　　미국이 중심이 된 서방은 크림 편입이 러시아에 의한 침략 행위이고 국제법 위반이라고 주장한다. 2014년 이후 지금까지 그들이 경제 제재를 가하고 있는 이유다. 그러나 앞서 언급하였듯이 크림반도는 주민들이 자발적으로 러시아로 귀속한 것이다. 미국이 이래라 저래라 할 문제가 아니다. 미국이 그런 식으로 한다면 미국이야말로 이 세상에서 가장 많은 침략행위로 자신들의 영토를 넓힌 나라에 해당된다 할 것이다. 소위 신대륙 개척기에 얼마나 많은 사람들의 피울음 위에 미국이라는 나라가 세워졌는가. 그것은 세월이 아무리 흘러도 잊혀 질 수 없고 지워지지 않는 미국이 추악한 역사다.[18] 그리고 미국은 지금 이 시각에도 전세계 70여개 국에 800여 미군 기지를 두고 있다.[19] 과연 그런 미국이 자발적으로 귀속을 한 크림반도에 대해 러시아를 비난할 수 있는가. 미국과 러시아의 형태를 비교하면 러시아는 정말 합법적이고 민주적이고 적절한 방법으로 크림반도를 합병한 것이다. 결코 제국주의적 팽창정책에 기인한 것이 아니다.

그렇다면 러시아는 미국을 위시한 서방의 제재가 충분히 예상됨에도 불구하고 왜 크림반도의 귀속을 받아들였는가. 첫째, 자국 영토를 항구적으로 보존한다는 측면에서, 미국 등 서방의 제재는 한시적이지만 내 나라 내 영토는 영원하다는 것이 진리이기 때문에, 즉 자국의 영토를 지키는 것은 세계 모든 국가의 기본 책무이기 때문이다. 땅이 넓은 러시아라고 해도 예외가 아닐 것이다. 둘째, 소련 해체이후 훼손되었던 강대국으로서 위상과 자존심을 회복하기 위해서는 미국과 서방의 그 정도 제재에는 크게 신경 쓰지 않았을 것이다. 러시아 같은 큰 땅을 가지고 자원이 풍부한 나라가 외부에서 제재를 가한다고 해도 무너질 것도 아니고, 그 정도 제재로는 전략적으로도 매우 중요한 크림반도를 포기할 수는 없었을 것이다. 크림 합병이후 푸틴의 지지율이 급등하고, 그것을 기반으로 하여 신동방정책을 과감하게 추진하여 아시아태평양

---

17. 러시아 사할린에 있는 안드레이라는 친구에게 2019년 5월 3일 전화 통화로 물어본 내용. 다만 러시아 법률가에게 추후 재확인이 필요한 사항이다. 민법상 실제로 그런지. 그러나 그것과 상관없이 크림의 러시아 편입은 지극히 정상적이고 합법적으로 이루어진 결과이다.
18. 『나는 왜 너가 아니고 나인가』, pp19~27, 류시화, 더 숲, 2017
19. 『기지국가』, 데이비드 바인 편저, 번역 유강은, 갈마바람, 2017

국가들과 협력을 강화해 나설 수 있었던 것이다. 셋째, 크림병합은 러시아 엘리트 그룹들과 대중들이 푸틴을 중심으로 똘똘 뭉치게 한 계기가 되었다. 이른 바 크림 컨센서스(Crimean Consensus)가 형성되어 국내적으로는 러시아의 정치와 사회가 매우 안정이 되었다.

이 같은 기반 위에 푸틴은 2018년 3월 1일 실시된 대통령 선거에서 76.67% 라는 압도적안 지지로 당선되는 기염을 토했다. 푸틴은 크림반도 병합으로 미국과 서방의 제재를 받고 있지만 이처럼 국내 정치에서는 큰 성공을 거두었다. 결국 러시아 입장에서는 크림반도 병합은 올바른 선택이었다.

북한이 에너지난 문제를 해결하기 위해서 2013년 관련법을 제정하였는데 여기서 전문을 소개한다.

조선민주주의인민공화국 재생에네르기법
주체102(2013)년 5월 29일 최고인민회의 상임위원회 정령 제3193호로 채택

제1장 재생에네르기법의 기본

제1조 (재생에네르기법의 사명)
조선민주주의인민공화국 재생에네르기법은 재생에네르기의 개발과 리용을 장려하고 재생에네르기 산업을 활성화하여 경제를 지속적으로 발전시키고 인민생활을 높이며 국토환경을 보호하는데 이바지한다.

제2조 (정의)
이 법에서 재생에네르기란 태양열 및 빛, 풍력, 지열, 생물질, 해양에네르기 같은 환경에 영향을 주지 않으면서도 재생 가능한 에네르기를 말한다.

제3조 (재생에네르기 개발 및 리용의 장려원칙)
재생에네르기를 적극 개발하고 리용하는 것은 경제발전과 인민생활향상에서 나서는 중요 요구이다. 국가는 기관, 기업소, 단체와 공민이 재생에네르기를 널리 개발하고 리용하는것을 적극 장려한다.

제4조 (계획적인 재생에네르기의 자원조사와 개발, 리용원칙)
재생에네르기자원은 인민경제의 지속적발전과 나라의 환경보호를 위한 귀중한 재부이다. 국가는 재생에네르기의 자원조사와 개발, 리용계획을 바로세우고 실행하도록 한다.

제5조 (재생에네르기분야의 물질기술적 토대 강화)

재생에네르기분야의 물질기술적 토대를 강화하는 것은 재생에네르기산업을 발전시키기 위한 근본방도이다. 국가는 재생에네르기부문에 대한 투자를 계통적으로 늘여 그 부문의 물질기술적 토대를 강화하도록 한다.

제6조 (국제적인 교류와 협조)

국가는 재생에네르기분야에서 다른 나라, 국제기구들과의 교류와 협조를 발전시킨다.

제2장 재생에네르기법의 자원조사

제7조 (자원조사의 기본요구)

재생에네르기의 자원을 정확히 조사하는 것은 재생에네르기부문을 빨리 발전시키기 위한 선 결조건이다. 해당 기관, 기업소, 단체 는 재생에네르기의 자원조사를 과학적으로 하여야 한다.

제8조 (자원조사계획의 작성)

재생 에네르기의 자원조사계획은 국가계획기관이 세운다. 국가계획기관은 나라의 에네르기수요와 환경실태, 재생에네르기기술개발실태에 기초하여 재생에네르기의 자원조사계획을 세워야 한다.

제9조 (자원조사설계의 작성과 승인)

재생에네르기의 자원을 조사하는 기관, 기업소, 단체는 반복조사를 없애고 재생에네르기자원을 빠짐없이 찾아낼수 있게 조사단계별로 설계를 작성하여야 한다. 작성된 조사설계는 해당 설계심의 기관의 승인을 받는다.

제10조 (설계에 의한 자원조사)

해당 기관, 기업소, 단체는 재생에네르기자원의 조사를 설계대로 하여야 한다.

제11조 (재생에네르기자원량의 계산기준제정)

재생에네르기자원량의 계산기준은 재생에네르기의 종류에 따라 중앙과학기술행정지도기관과 해당 기관이 정한다. 중앙과학기술행정지도기관과 해당 기관은 재생에 네르기자원량이 변동되거나 과학기술이 발전하는데 따라 재생에네르기자원량계산기준을

갱신하여야 한다.

제12조 (재생에네르기자원량의 계산과 심의)
재생에네르기자원을 조사하는 기관, 기업소, 단체는 정해진 계산기준과 조사자료에 기초하여 재생 에네르기자원량을 정확히 계산하여야 한다. 계산된 재생에네르기자원량에 대한 심의는 중앙과학기술행정지도기관과 해당 기관이 한다.

제13조 (재생에네르기자원량의 등록)
심의에서 승인된 재생에네르기자원량은 중앙과학기술행정지도기관과 해당 기관에 등록한다.

제14조 (재생에네르기자원량의 실사)
중앙과학기술행정지도기관과 해당 기관은 등록된 재생에네르기자원량의 실사를 정기적으로 하여 그 변동정형을 정확히 장악하여야 한다.

제3장 재생에네르기의 개발 및 리용계획

제15조 (계획작성의 기본요구)
재생에네르기의 개발 및 리용계획을 바로세우고 실행하는 것은 해당 기관, 기업소, 단체의 중요임무이다. 국가계획기관과 중앙과학기술행정지도기관, 해당 기관, 기업소, 단체는 재생에네르기의 개발 및 리용계획을 전망성있게 세우고 정확히 실행하여야 한다.

제16조 (재생에네르기의 개발 및 리용목표)
국가적인 재생에네르기의 개발 및 리용목표는 중앙과학기술행정지도기관과 해당 기관이 세운다. 중앙과학기술행정지도기관과 해당 기관이 세운 재생에네르기의 개발 및 리용목표는 내각의 비준을 받는다.

제17조 (계획작성지도서의 시달)
중앙과학기술행정지도기관과 해당 기관은 재생에네르기개발 및 리용목표에 기초하여 재생에네르기개발 및 리용계획작성지도서를 만든 다음 해당 기관, 기업소, 단체에 내려보내야 한다.

제18조 (계획의 분류)

재생에네르기개발 및 리용계획은 그 중요성과 자금보장원천에 따라 국가재생에네르기 개발 및 리용계획과 기관, 기업소, 단체의 재생에네르기개발 및 리용계획으로 나눈다.

제19조 (계획의 작성)

해당 기관, 기업소, 단체는 중앙과학기술행정지도기관과 해당 기관에서 내려보낸 계 획작성지도서에 따라 재생에네르기원천별 자원량과 기술개발실태, 보장조건같은것을 타산하여 재생에네르기개발 및 리용계획초안을 작성하여야 한다. 작성한 계획 초안은 국가계획 기관에 낸다.

제20조 (계획시달과 실행)

국가계획기관은 재생에네르기개발 및 리용계획을 제때에 심의, 비준하여 해당 기관, 기업소, 단체에 내려보내야 한다. 해당 기관, 기업소, 단체는 시달된 재생에네르기개 발 및 리용계획을 어김없이 실행하여야한다.

제21조 (계획실행정형총화)

기관, 기업소, 단체는 재생에네르기개발 및 리용계획의 실행정형을 월, 분기, 년별로 총화하고 그 자료를 해당 통계기관에 내야 한다.

제4장 재생에네르기개발 및 리용의 장려

제22조 (재생에네르기개발 및 리용의 기본요구)

재생에네르기의 개발 및 리용을 장려하는것은 재생에네르기산업을 빨리 발전시키기 위한 근본조건이다. 기관, 기업소, 단체는 재생에네르기를 적극 개발하고 리용하여야 한다.

제23조 (재생에네르기설비의 제작)

기계공업지도기관과 해당 기관, 기업소, 단체는 앞선 과학기술성과를 받아들여 현대 적이며 리용효률이 높은 재생에네르기설비를 생산보장하여야 한다. 이 경우 정해진 규격을 정확히 지켜야 한다. 국가규격지도기관은 재생 에네르기설비의 규격을 바로 정하여야 한다.

제24조 (재생에네르기설비의 인증)
재생에네르기설비를 제작한 기관, 기업소, 단체는 설비인증을 받아야 한다. 인증받은 재생에네르기설비는 생산, 공급, 판매에서 우선권을 가진다.

제25조 (재생에네르기설비의 수입)
기관, 기업소, 단체는 재생에네르기설비를 수입할 경우 현대적이며 리용효률이 높은 설비를 수입하여야 한다.

제26조 (재생에네르기설비의 설치와 리용)
기관, 기업소, 단체와 공민은 태양온수계통, 지열랭난방계통, 태양빛전지 계통, 풍력발전기, 메탄가스생산시설 같은 재생에네르기설비를 설치하고 리용할수 있다. 이 경우 재생에네르기설비를 설치하면서 건물의 안전에 지장을 주을 행위를 하지 말아야 한다.

제27조 (개발한 재생에네르기의 리용)
재생에네르기를 개발한 기관, 기업소, 단체는 그것을 자체로 리용하며 남는 재생에네르기를 다른 기관, 기업소, 단체에 공급할수 있다.

제28조 (재생에네르기공급망의 구성)
해당 기관, 기업소, 단체는 자기 부문 또는 지역에서 재생에네르기개발이 진척되는데 맞게 재생에네르기의 공급망을 합리적으로 수성하고 경제건설과 인민생활향상에 효과적으로 쓰이도록 하여야 한다.

제29조 (재생에네르기리용계통을 살림집과 공공건물에 결합)
중앙과학기술행정지도기관과 해당 기관은 재생에네르기리용계통을 살림집과 공공건물에 결합시키기 위한 건설규범을 제정하여야 한다. 해당 설계 및 건설기관, 기업소, 단체는 건설물의 설계와 시공에서 재생에네르기리용계통을 결합시키기 위한 건설규범을 정확히 지켜야 한다.

제30조 (농촌지역에서의 재생에네르기개발 및 리용)
도, 시, 군인민위원회는 재생에네르기개발 및 리용계획에 따라 농촌지역에서 주민용 연료 및 동력을 재생에네르기로 해결하기 위한 사업을 전망적으로 현실성있게 밀고나

가야 한다.

제31조 (생물질리용기술의 도입)

해당 기관, 기업소, 단체는 생물질의 재순환을 철저히 보장하며 에네르기수요보장과 산림보호, 논밭의 지력개선을 다같이 만족시키는 생물질리용기술을 적극 발전시키고 확대도입하여야 한다.

제32조 (토지리용허가)

재생에네르기설비의 설치와 관련하여 토지를 리용하려는 기관, 기업소, 단체는 정해진 질서 에 따라 토지 리용허가를 받아야 한다.

제33조 (기술경제적지표의 분석종합)

해당 기관, 기업소, 단체는 재생에네르기리용계통의 운영자료를 정기적으로 과학기술행정 기관과 해당 기관에 내야 한다.

파학기술행정기관과 해당 기관은 재생에네르기리용계통의 기술경제적지표를 분석 종합하고 필요한 대책을 세워야 한다.

제5장 재생에네르기부문의 물질기술적토대강화

제34조 (물질기술적토대강화의 기본요구)

재생에네르기분야의 물질기술적토대를 강화하는것은 앞선 과학기술성과를 받아들여 재생에 네르기산업 을 빨리 발전시키기 위한 중요한 요구이다.

내각과 중앙과학기술행정지도기관, 해당 기관은 재생에네르기부문의 물질기술적토대를 강화하는데 깊은 관심을 돌려야 한다.

제35조 (과학연구사업의 선행과 생산의 결합)

중앙과학기술행정지도기관과 해당 과학연구기관은 재생에네르기분야의 과학연구사업을 강화하여 재생에네르기개발 및 리용에서 나서는 과학기술적문제들을 원만히 풀어 나가야 한다. 재생 에네르기분야에서 이룩된 과학기술성과는 제때에 현실에 도입하여야 한다.

제36조 (전문가양성)

중앙교육지도기관과 해당 기관은 재생에네르기부문의 기술자, 전문가양성규모를 체계적으로 늘이고 교육내용과 방법을 개선하여 능력 있는 재생에네르기부문의 기술자, 전문가를 계획적으로 키워내야 한다.

제37조 (정보자료기지의 운영)

중앙과학기술행정지도기관과 해당 기관은 정보자료기지를 잘 꾸리고 재생에네르기부문에서 이룩된 성과를 제때에 보급하여야 한다.

제38조 (재생에네르기리용기술와 확대)

중앙과학기술행정지도기관과 해당 기관은 재생에네르기분야의 발전 추세와 경제발전의 요구에 맞게 전문화수준을 높이며 태양빛전지, 풍력발전기, 지열뽐프를 비롯한 재생에네르기설비의 생산과 리용기술봉사단위를 늘여야 한다.

제39조 (재생에네르기분야의 자금지출항목)

재생에네르기분야의 자금지출항목은 다음과 같다.
1. 재생에네르기의 자원조사, 수요조사, 통계작성사업
2. 재생에네르기 분야의 기술연구, 개발, 평가사업
3. 재생에네르기설비의 인증사업
4. 재생에네르기기술의 정보수집, 분석사업
5. 재생에네르기분야에 대한 기술봉사와 인재양성사업
6. 재생에네르기개발 및 리용의 본보기창조사업
7. 재생에네르기리용의 확대도입사업
8. 재생에네르기분야의 국제적인 교류, 협조사업
9. 재생에네르기기술의 규격화사업

제6장 재생에네르기부문 사업에 대한 지도통제

제40조 (지도통제의 기본요구)

재생에네르기부문 사업에 대한 지도통제를 강화하는것은 국가의 에네르기정책을 실현하기 위한 기본담보이다. 국가는 재생에네르기의 개발 및 리용사업에 대한 지도와 통제를 강화하도록 한다.

제41조 (지도기관)

재생에네르기의 개발 및 리용사업에 대한 지도는 내각의 통일적인 지도밑에 중앙과학기술행 정지도기관과 해당 기관이 한다. 중앙과학기술행정지도기관과 해당 기관은 재생에네르기의 개발 및 리용사업을 정상적으로 장악지도하여야 한다.

제42조 (로력, 설비, 자재, 자금의 보장)

국가계획기관과 해당 기관은 재생에네르기개발 및 리용에 필요한 로력과 설비, 자재, 자금을 제때에 책임적으로 보장하여야 한다.

제43조 (감독통제)

재생에네르기의 개발 및 리용에 대한 감독통제는 해당 감독통제기관이 한다. 해당 감독통제기관은 재생에네르기의 개발 및 리용정형을 정상적으로 감독통제하여야 한다.

제44조(원상복구, 손해보상)

재생에네르기의 자원조사와 개발, 리용을 바로하지 않아 재산상 손해를 주었을 경우에는 원상복구시키거나 해당한 손해를 보상시킨다.

제45조 (행정적책임)

다음의 경우에는 기관, 기업소, 단체의 책임있는 일군과 개별적공민에게 정상에 따라 해당한 행정처벌을 준다.

1. 재생에네르기의 자원조사와 개발, 리용을 바로하지 않아 엄중한 결과를 발생 시켰을 경우
2. 재생에네르기의 개발, 리용과정에 환경을 파괴하였을 경우
3. 재생에네르기 분야의 국가예산을 류용하였을 경우
4. 재생에네르기설비수입질서를 어겼을 경우
5. 재생에네르기설비를 파손시켰을 경우
6. 설비인증을 바로 하지 않아 경제적손실을 주었을 경우
7. 이 밖에 재생에네르기의 개발, 리용사업에 엄중한 후과를 조성하였을 경우

제46조 (형사적책임)

이 법 제45조의 행위가 범죄에 이를 경우에는 기관, 기업소, 단체의 책임있는 일군과 개별적공민에게 형법의 해당 조문에 따라 형사적책임을 지운다.

언론이 먼저 찾는 시민사회 활동가 리인수

　언론에 보도 자료를 배포하지 않아도 언론이 먼저 찾는 시민단체 활동가 부산우리민족서로돕기운동 리인수 사무총장. 아래는 최근 몇 년간의 언론 보도 현황이다.

2012년
* 3월 30일 　　〈부산일보〉 새로운 공동체 모색, 부산 시민단체로부터 듣는다
　　　　　　　　　　총선 출마자 대상 인도적 대북지원 정책 촉구

2013년
* 4월 2일 　　　〈한겨레〉 인터뷰
　　　　　　　　　"한국정부 긴장완화 나서고 북 · 미 자제를…전쟁은 막아야"

2014년
* 3월 4일 　　　〈통일뉴스〉 칼럼, 남북통일 협상 기구 만들어야

2015년
* 4월 7일 　　　〈KNN〉 5백억 든 역사기념관 '표류', 방치되는 일제 강제동원의 역사
* 4월 27일 　　　〈한겨레〉, 〈연합뉴스〉 등 '사할린 한인역사관'건립운동 닻올려
* 5월 4일 　　　〈KBS월드 라디오〉 인터뷰, 〈한민족네트워크 라디오〉 인터뷰
* 5월 6일 　　　〈BBS 부산불교방송 라디오〉 인터뷰
* 5월 19일 　　　〈한겨레신문〉 인터뷰,
　　　　　　　　　"부산시민공원 콘크리트 뒤덮일라, 시민공원내 국회도서관 부지 반대"
* 6월 11일 　　　〈KBS 부산 라디오〉, 생방송 인터뷰
* 6월 27~28일 〈KNN〉 뉴스 보도, 사할린 기획보도 리포트(1),(2)

- 6월 30일   〈SBS / KNN〉, 생방송투데이 – 포커스
- 7월 19일   〈연합뉴스〉 사할린 한인 추모비 8월에 제막...추모관도 착공
- 7월 23일   〈KBS 부산 라디오〉 인터뷰, 굿모닝 부산
- 8월 14일   〈KBS 부산〉 뉴스 "사할린 합동 추모비 제막식 및 위령제" 소개

2016년
- 6월 1~3일   〈KBS부산〉, 뉴스 9 "사할린 징용 역사. 추모관 건설"(3편 연속방송)
- 7월 13일   〈연합뉴스〉 러시아 '사할린 한인 추모관'위패 8천기 제작에 시민모금
- 8월 3일   〈한겨레〉 우리 역사 알면서 한민족에 대한 믿음 커졌죠
- 8월 4~5일   〈KBS부산〉, 뉴스 9 "사할린 청소년 초청 역사 문화 기행"

2017년
- 3월 6일   〈통일뉴스〉, 기고 '소녀상'명칭 정확하게 쓰자
- 7월 5일   〈한겨레〉 사할린 무연고 희생자 위패 제작에 동참해 주세요
- 7월 12일   〈한겨레〉 문재인 대통령은 사할린 방문할까?
- 7월 16일   〈국제신문〉, 〈한겨레〉 등 "문재인 대통령 사할린 방문 요청(호소문)"
- 7월 21일   〈KBS 부산〉, 뉴스 9 "문재인 대통령 사할린 방문 요청(호소문)"
- 8월 14일   〈국방FM이 좋다〉, 인터뷰
              "강제 이주 80년, 사할린강제징용 희생자 역사"
- 8월 6일   〈CBS라디오매거진부산〉, 인터뷰
              "대통령님, 통한의 땅 사할린을 찾아주십시오"
- 9월 30일   〈한겨레 : 온〉 칼럼 "기획탈북 피해자 송환으로 남북대화 물꼬 트자"

2018년
- 1월 30일   〈한겨레〉 "평화의 소녀상 이름을 바꿉시다"
- 2월 22일   〈BBS 불교방송〉 목요인터뷰 "사할린 징용 희생자 추모관 건립" 소개
- 2월 24일   〈연합뉴스〉 "사할린 징용 희생자 추모관 준공식" 소개
- 4월 4일   〈민중의 소리〉 부산 정권교체 · 개혁 위한 시민회의 발족
- 4월 20일   〈국제신문〉
              "사할린 징용 희생자 위패 봉안 후원회 및 추모관 준공식" 소개
- 4월 23일   〈KBS 부산〉, 라디오 정보센터 인터뷰
              "위패 봉안 추모관 준공식 및 활동" 소개

- 5월 15일   〈한겨레〉 창간 30돌 기념 리셉션 "축하해주셔서 고맙습니다"
- 7월 6일   〈한겨레〉 "강제징용 원혼 달랜 사할린 추모관 완공"
- 9월 4일   〈KBS〉 기획보도 1 "죽어서도 한맺힌 넋… 사할린 추모관"
- 9월 5일   〈KBS〉 기획보도 2 "무관심 속 잊히는 '사할린 강제징용'"
- 10월 25일   〈연합뉴스〉
            '우리말 방송국'후원 빌미 11억 챙긴 의혹…재외동포 고발 당해

2019년
- 1월 15일   〈BBS 불교방송〉 인터뷰
            3.1 운동 100주년, 사할린 징용희생자 추모 행사 관련
- 1월 18일   〈한겨레〉 인터뷰, 사할린서 3 · 1절 기념행사 연다
- 2월 17일   〈부산일보〉 가덕도신공항 시대 열자, "동남권 관문공항을 허하라"
            부울경 100만 명 국민청원운동 돌입
- 2월 18일   〈중앙일보〉
            "김해신공항 백지화, 동남권 관문공항 건설"…100만명 청원 돌입
- 3월 8일   〈KBS 부산〉 K토크 '부산대개조 무엇이 문제인가?'토론자로 출연
- 5월 13일   〈MBC 부산〉 인터뷰, 부산 첫 남북교류협력기금 10억 지원, 집행 가능
            할까?
- 10월 17일   〈KBS 부산〉 뉴스 "인도적 대북 인도적 사업 일정 관련" 인터뷰
- 10월 29일   〈KBS 부산〉 뉴스 "인도적 대북 지원의 원칙과 관련" 인터뷰

끊임없이 사부작사부작

초판 1쇄 2019년 11월 28일 펴냄

지은이 ｜ 리인수
펴낸이 ｜ 박윤희
펴낸곳 ｜ 도서출판 소요-You
디자인 ｜ 윤경디자인 070-7716-9249
등록 ｜ 2013년 11월 12일(제2013-000009호)
주소 ｜ 부산시 중구 대청로137번길 11
전화 ｜ 070-7716-9249
팩스 ｜ 0505-115-5618
전자우편 ｜ pyh5619@naver.com

ⓒ 2019, 리인수
ISBN 979-11-88886-07-4
15,000원

이 도서의 국립중앙도서관 출판예정도서목록(CIP)은 서지정보유통지원시스템 홈페
이지(http://seoji.nl.go.kr)와 국가자료종합목록 구축시스템(http://kolis-net.nl.go.kr)
에서 이용하실 수 있습니다. (CIP제어번호: CIP2019046237)